RAFAEL ~~

Vive para amar
ama para vivir.

Gonzalo Galló.

GONZALO GALLO GONZALEZ

El milagro está en nuestras manos

Coordinación Editorial: Orlando Zapata Preciado
Diseño Carátula: Alicia María Puerta
Fotografía Carátula: Luis Alfonso Correa Ghisays
Diagramación y preprensa digital: Laserjet Tel.: 660 70 85 - Cali
Impreso en Colombia por Imprelibros S.A.

3ª Edición de 2000 ejemplares, Abril del 2000.
ISBN 958-33-1260-6

Agradecimientos especiales a la
Corporación Universitaria Lasallista, Medellín,
al habernos permitido utilizar la fotografía
que aparece en esta carátula.

Dedico este libro a la familia Puche González: Enrique, Gloria y sus hijos Cristina, Orlando y Mauricio.

Sempre me han brindado el afecto y la confianza de un hijo y un hemano. Gracias también a Orlando y a su esposa Kara Garret, por acogerme en su casa con un amor sin medida. Este libro nació en sus hogares.

¡Irradia tu luz!

Nuestro miedo más profundo es reconocer que somos inconcebiblemente poderosos. No es nuestra oscuridad, sino nuestra luz, lo que más nos atemoriza. Nos decimos a nosotros mismos: "¿Quién soy yo para ser alguien brillante, magnífico, talentoso y fabuloso?". Pero en realidad, ¿quién eres tú para no tener esas cualidades? ¡Eres un hijo de Dios!

Empequeñeciéndote no sirves al mundo. No tiene sentido que reduzcas tus verdaderas dimensiones para que otros no se sientan inseguros junto a ti. Hemos nacido para manifestar la Gloria de Dios, que reside dentro nuestro. Y El no habita únicamente en algunas personas. Habita en todos y cada uno de nosotros. Y a medida que permitimos que nuestra luz se irradie, sin darnos cuenta estamos permitiendo que otras personas hagan lo mismo. Al liberarnos de nuestros propios miedos, nuestra presencia automáticamente libera a otros.

Nelson Mandela

Contenido

El verdadero milagro 11

1 ANTE MI PROPIA VIDA

Amor 16
Confianza .20
Cambio 26
Pensamiento 32
Superación 38
Hoy 46
Humor 53
Crisis 58
Visión 68
Autodominio 79
Entusiasmo 84
Felicidad .91

2 ANTE LOS DEMAS

Amor 100
Convivencia 106
Pareja 122
Familia 135

3 ANTE MI PAIS Y LA HUMANIDAD

Amor 152
Justicia 159
No violencia 170
Hermandad 177
Entereza 188

4 ANTE DIOS

Gratitud 200
En Dios 205
Oración 214

Contenido

El verdadero milagro

1 ANTE MI PROPIA VIDA

Amor 16
Confianza 20
Cambio 26
Pensamiento 29
Superación 38
Dios 46
Humor 53
Crisis 58
Visión 66
Autodominio 70
Entusiasmo 84
Felicidad 91

2 ANTE LOS DEMÁS

Amor 102
Convivencia 106
Pareja 109
Familia 135

3 ANTE MI PAÍS Y LA HUMANIDAD

Amor 150
Justicia 159
No violencia 170
Solidaridad 177
Entereza 188

4 ANTE DIOS

Gratitud 200
En Dios 203
Oración 214

El verdadero milagro

Nuestro destino individual y colectivo está en nuestras propias manos. El espíritu de la época nos ha enseñado claramente que con nuestros pensamientos y actitudes construimos nuestro presente y nuestro futuro, y ahora es el momento de utilizar ese conocimiento en forma práctica y realista. Es hora de tomar las riendas de nuestra propia vida y de comprometernos a fondo con los destinos de nuestro país.

Después de haber leído cuidadosamente los escritos de Gonzalo Gallo González, incluyendo muchos textos hasta ahora inéditos, he seleccionado los que más han vitalizado mi propio proceso transformador. Son valores universales, aplicables por cualquier persona, que describen con sencillez pero con profundidad los grandes secretos de la vida. Ellos nos muestran que el verdadero milagro ocurre cuando estamos determinados a ser instrumentos del amor. Cuando nuestro amor es real, inevitablemente se traduce en responsabilidad ante el dolor ajeno, con la consiguiente determinación de servir.

Apliquemos con perseverancia estos secretos en nuestra vida diaria y veremos cómo nuestro propio cambio se convertirá en una semilla poderosa para el cambio de nuestro país, porque el triunfo de cada uno sobre sí mismo es altamente significativo.

Como decía Buda. "Si un hombre vence a miles en el campo de batalla, y otro se vence a sí mismo, éste último es el más insigne guerrero, porque la mayor victoria es la lograda sobre uno mismo". Esa es la verdadera victoria, y ya muchos la están alcanzando, porque se han abierto paso hacia las innumerables sendas reveladoras de nuestra época.

Lo que inspira en el caso de Gonzalo Gallo es que su testimonio es vivo, actuante, constante. "La palabra mueve pero el ejemplo arrastra". Una y otra vez he visto maravillado cómo llena grandes auditorios y cuántas cosas bellas despierta en la gente que lo escucha. Y ese mismo carisma se le siente en sus programas de radio y de televisión, así como en sus libros y artículos periodísticos.

Tengamos fe en que el milagro que reclaman los nuevos tiempos es porque cuando esta fe está sustentada por el conocimiento, por el esfuerzo, por el sacrificio y por la plegaria, tiene el poder de moldear destinos de personas y de países.

Con la fuerza del amor y gracias a la unidad de propósito de millones de nosotros, es posible dejar atrás a la violencia y la corrupción, con sus secuelas de hambre, muerte y sufrimiento. El poder invocador de un pueblo unido en torno a ideales claros y consistentes es grande. Ese es el poder de la Buena Voluntad, cuyas ramas se difunden hoy en día en cientos de miles de personas, grupos y organizaciones de todos los países del mundo, todos determinados a cambiar la faz del planeta.

Te invitamos, pues, a que te sumes a ese inmenso ejército de servidores del mundo. Comprométete con los verdaderos valores, vívelos, difúndelos, y verás cómo el milagro se manifestará ante tus propios ojos!

Este libro no sólo presenta una cuidadosa recopilación de valores esenciales, sino que propone un autentico compromiso basado en cuatro pasos:

1. Acepto e compromiso de buscar mi propia transformación personal.
2. Me comprometo a hacer todo lo posible para mejorar en las relaciones con mis familiares, amigos y conocidos.
3. Asumo el compromiso de hacer cuanto pueda por mi país y me sumo al llamado invocador de la humanidad.
4. Habiendo realizado los tres pasos anteriores, hasta donde me sea humanamente posible, me pongo en manos de Dios.

El reto es simple pero es de verdad. Si lo aceptas... ¡manos a la obra!

Luis Eduardo Yepes

Ante mi PROPIA VIDA

En lugar de creer en un destino ya trazado,
debemos ser los artífices de nuestro propio destino.
Según el escritor Thomas Carlyle, hay dos clases de
personas en el escenario de la vida: los que se
creen víctimas de las circunstancias, y los que
eligen ser arquitectos de las circunstancias. Con
una buena autoestima, con fe y con honestidad
hacemos de nuestra vida una gran obra y no un
mal drama. Elijamos hacer que las cosas pasen,
en lugar de esperar a que las cosas pasen.
Tomemos con mano firme el timón de la
existencia, para que nuestro barco
no vaya a la deriva.

Gonzalo Gallo González

PARTE I

El amor todo lo vence

Contamos con un potencial ilimitado como hijos de Dios. Todos, sin excepción, podemos ejercer a diario la magia más importante: la magia del amor. Gracias a ella podemos perdonar lo imperdonable, sanar heridas en el alma, derribar los muros del odio y construir puentes de hermandad. Somos magos, y a diario podemos realizar maravillas con el amor.

El amor todo lo vence. El amor es nuestra esperanza, nuestra luz y nuestra salvación. Lo necesitamos y lo sentimos en los momentos adversos cuando el destino nos sacude sin piedad. Ante una enfermedad grave, o doblegados por la muerte de un ser querido, apreciamos en toda su esencia la importancia del amor. Valoramos al máximo el calor de un abrazo, la ternura de una caricia y el poder sanador de las palabras afectuosas.

Pongamos al amor en el centro de nuestras vidas, recuperemos la ternura y abramos espacios al afecto. Así viviremos más y mejor.

Así es el amor

Confesión del gran pintor holandés Vincent Van Gogh: "Yo siempre he creído que el mejor medio de conocer a Dios es amar mucho". Es cierto; la fe que Dios quiere y que mejora el mundo es un amor que se prueba en las obras.

Un amor abierto a la comprensión y dispuesto a aceptar al otro y a perdonar sus yerros. Un amor no condescendiente con la injusticia, amigo de la equidad, servicial y solidario. Un amor que se afianza con la sinceridad, como manantial de la confianza y tumba de la duda. Un amor que se renueva en cada amanecer con los detalles, el estímulo y el diálogo sereno. Un amor alumbrado por el respeto: sin dominio, sin manipulación, sin ultrajes ni agresiones.

Vive unido a Dios que es amor, para poder amar de verdad. Decídete a amar y dedícate a amar para ser feliz y dar felicidad.

San Juan de la Cruz decía: "El que anda en amor, ni cansa ni se cansa". El que anda en amor, sabe servir. Se acepta y acepta a los otros, sin cansarse de compartir, animar y hacer el bien.

Servir es iluminar

*D*e Tagore es este bello pensamiento:
"Yo dormía y soñaba que la vida era alegría.
Desperté y vi que la vida era servicio. Serví y vi que
el servicio era alegría".

Vive para servir con los dones y tu vida se llenará
de plenitud. El servicio engrandece y alegra. Puedes
hacerte mucho bien haciendo el bien. El servicio te
libera de la ciénaga del egoísmo. Haz tuyo el credo
de Mahatma Gandhi:

"Humildemente me esforzaré en amar, decir la
verdad, ser honrado y puro. En no poseer nada
innecesario, en ganarme la vida con el trabajo. En
vigilar lo que como y bebo. En no tener jamás
miedo y respetar las creencias de los demás. En
buscar siempre lo mejor para los demás, en ser un
hermano para todos los hombres, mis hermanos".

Tú eres luz del mundo cuando puedes decir como
Jesús: ¡No he venido a ser servido, sino a servir!

Maestría en el vivir

*D*ichoso el que se acepta a sí mismo y acepta a los demás, sin beber las aguas turbias de la envidia.

Dichoso el que trabaja con lo bueno que hay en todos los seres, sin amargarse la vida por los errores propios o ajenos.

Dichoso el que evita compararse con los demás, y sabe equilibrar la suavidad con la firmeza.

Dichoso el que es enemigo del chisme y amigo de la verdad, el que es tolerante y comprensivo.

Dichoso el que no viaja al ayer con rencor ni al futuro con angustia, sino que vive el hoy con entusiasmo.

Dichoso el que tiene a Dios como amigo y a todos como hermanos, amando igualmente a la naturaleza y a toda forma de vida.

Dichoso el que dedica tiempo a los seres amados y pone su hogar antes que el trabajo y el dinero.

Dichoso el que actúa con ética y sabe elegir lo mejor sin lastimarse ni lastimar.

¡Quienes conocen esos goces son maestros en el Arte de Vivir!

CREE MÁS Y MÁS

En la confianza está la clave del éxito personal y grupal. La confianza es el sólido fundamento de toda relación. Necesito caminar en la verdad, ya que sin sinceridad no hay confianza y sin confianza no hay entendimiento.

En el constante esfuerzo por ser más, necesito confiar en mí mismo, en Dios como amigo y en los otros. En mi trabajo debo ganarme la confianza de los demás siendo honesto, responsable y auténtico. También es necesario que aprenda a confiar en los demás, a delegar y a trabajar en equipo. El individualismo produce pésimos frutos. Gracias a la confianza supero los temores, alejo las dudas y disfruto de paz interior y seguridad.

En la confianza está el secreto de una serena relación matrimonial, familiar o laboral: donde hay confianza también hay unión. La confianza es hija de la fe y hermana del entusiasmo. Con una confianza sin límites tengo una vida sin límites.

¡Señor, tú eres mi confianza! ¡Señor, ayúdame a confiar en mí y en los demás!

El arte de vencer

*P*or encima de las nubes sigue brillando el sol. Nos anima la esperanza de que por el camino de la noche se llega al amanecer. Creemos a veces no escapar del naufragio, pero la nave sigue su rumbo sin hundirse. Es bueno aprender de la filosofía china. En su manera de ver las cosas, la crisis es siempre una oportunidad.

El libertador Simón Bolívar decía que "el arte de vencer se aprende en las derrotas". Y vivió lo que dijo. La dificultad es el yunque de las almas fuertes. Con esfuerzo y esperanza el ser humano es capaz de insistir, volver a empezar y no dejar de luchar.

Dejémonos penetrar del valor de los descubridores, el tesón de los inventores, la fe de los santos. Aunque domine la oscuridad, sabemos que después de la noche llega el alba. De todo abismo parte un camino.

Dios permita que tengamos la sabiduría y la determinación para elegir el camino arduo pero seguro basado en la confianza, el amor y la libertad.

Un valor esencial

*L*a confianza, hermana de la fe, es uno de los valores más necesarios. Cuando ésta se pierde, con ella se van grandes bienes y llegan grandes males. La confianza se apoya en la honestidad y ambas son la raíz de la credibilidad, gracias a la cual obtenemos firmeza en nuestras relaciones.

La confianza en nosotros mismos también es la base de todo lo que hacemos y nos da fuerzas para perseverar sin rendirnos. Todo está perdido cuando dejamos de confiar en nosotros mismos, en Dios y en los demás, y todo se puede esperar mientras seguimos confiando.

Los santos alaban mucho esta virtud, y en la vida y las obras de Santa Teresa de Jesús abundan los elogios a este valor. Según la mística carmelita "Nunca les falta nada a los que tienen confianza y con un espíritu animoso confían en Dios".

También dice que "Hay que tener gran confianza y no apocar los deseos, porque todo se logra con una determinada determinación". Y agrega: "Oh, Señor mío, si de veras os conociésemos, no se nos daría nada de nada porque dáis mucho a los que del todo confían en vos".

La Fuerza de creer

*L*a fe motiva a esperar un claro amanecer cuando aún es de noche. La fe afianza mi esperanza. Esa fe que lleva al pescador a puerto seguro en la inmensidad del océano. Una fe viva, dinámica y firme. Gracias a la fe sigo avanzando a pesar del cansancio; no me desespero y domino la incertidumbre.

Quiero creer en Dios con la confianza que tuvo Abraham a los 75 años: "Abraham partió sin saber a dónde iba" (Heb. 11,8). Quiero creer con la seguridad que llenó de coraje a David para enfrentarse al gigante Goliat. Quiero creer con la convicción que llevó a Moisés a peregrinar con el pueblo de Israel durante 40 años por el desierto. Necesito creer con la fe de ese centurión que le dice a Jesús: "Basta con que lo digas de palabra y mi criado quedará sano".

Afianzo la fe con la oración constante, con muchos actos de confianza, con el poder del amor. Tengo en la fe una riqueza sin precio que me libra de dudas, temores y complejos. La fe ilumina la existencia.

La autoimagen es determinante

*L*a autoconfianza depende de la forma como nos vemos a nosotros mismos. El reconocido siquiatra William Glasser afirma que: "Todos los problemas sicológicos son síntomas de una frustración: la de no poder llenar la necesidad primaria del sentido de valía personal. La imagen que cualquier persona tiene de sí misma es el factor determinante de toda su conducta y de su vida misma".

Ambas conclusiones nos permiten ahondar en el concepto de la autoestima, que quizás hemos desvalorizado hablando tanto de él. La imagen que tenemos de nosotros mismos depende en buena medida de la educación que recibimos desde antes de nacer. Depende de si fuimos deseados o no, de cuánto amor se nos dio, del ambiente en el que crecimos y de todo nuestro entorno.

Pero también depende en buena medida de la forma como utilizamos el divino regalo de la voluntad. Porque no somos máquinas programadas, sino almas libres y soberanas, y a cualquier edad podemos llenar esos vacíos y carencias que todos tenemos.

Fe y Coraje

*H*ay imposibles, pero son menos de lo que creen los pesimistas y los inconstantes. "Muchas veces imposible es sinónimo de no intentado", como afirma nuestro amigo Francisco Villegas. Eige, pues, crecer cada día en fe, en entusiasmo y en perseverancia. Elige derrotar al desaliento con el poder de la confianza. No permitas que los derrotistas apaguen el fuego de tu esperanza. ¡Sigue adelante con decisión! No escuches a los profetas de desastres; escucha a los que luchan por un mañana mejor.

Hoy podemos volar, pero en su momento alguien dijo: "Los que piensan en el avión son unos ilusos; ningún aparato puede sostenerse en el aire por mucho tiempo". Hoy vemos películas, aunque el mismo inventor, Augusto Lumier, afirmó en 1885: "El cine será considerado durante algún tiempo como una curiosidad científica, pero no tiene fundamento comercial". Hoy damos gracias por la luz, aunque alguien dijo en 1879: "Cuando se clausure la Exposición de París, nadie más oirá hablar de la luz eléctrica".

¿Quién?... Yo ¿Cuándo?... Ya

E n sólo cuatro letras están las llaves de ese mundo mejor que todos soñamos, aunque no siempre construimos. Y nos engañamos con lindas promesas porque no nos dedicamos a lo que es realmente importante según lo expresan estas dos palabras: Yo, Ya.

La clave está en la respuesta personal y decidida a estas valiosas preguntas:
- ¿Quién es el que debe cambiar? Yo.
- ¿Cuándo? Ya.

Lo más común es que vivamos afanados en cambiar a otros, muy seguros de que sólo ellos son los del problema. Hasta que en la "Universidad de los golpes" aprendemos a ser sencillos y decimos: Soy yo quien debe cambiar primero.

Pero falta el paso del ya, porque aplazamos ese cambio con mil excusas y además nos negamos a pedir ayuda. Por eso hace falta una tercera respuesta si de verdad queremos ser felices: ¿Cómo voy a cambiar? Aceptando ayuda con humildad.

Compromiso

*U*no de los valores más importantes en la vida es el compromiso. Es tan valioso que sólo con él es posible triunfar. Es un valor que practicamos cuando nos entretengamos con toda el alma a una misión.

Así, con una entrega decidida, amando lo que hacemos, logramos conquistar nuestras metas a pesar de los obstáculos. Basta leer biografías de grandes hombres y mujeres para constatar que llegaron alto por su compromiso. Fue así como Bolívar avanzó sin dejarse abatir por las derrotas, las amenazas y las críticas.

Con un firme compromiso Martin Luther King sostuvo su lucha contra la discriminación racial. Una total entrega a la misión es lo que anima a Jaime Jaramillo en su trabajo con los gamines por encima de envidias y zancadillas, con la Fundación Niños de los Andes.

Compromiso amoroso es lo que mueve al joven Albeiro Vargas para servir a los ancianos en Bucaramanga. Y un fuerte compromiso es lo que yo necesito para vencer, con el apoyo de Dios y los que me aman.

Aprender de los niños

Como niños suspiramos por ser adultos; como adultos, retornemos a los valores de la infancia. Aprende de los niños a admirarlo todo y a maravillarte con lo pequeño. Deja la severidad y el rostro adusto, y procura ser alegre y descomplicado.

Los niños disfrutan la vida porque no la toman tan en serio y son ricos en espontaneidad. Ser como los niños, para conjurar el estrés, es destensionarse con el juego y el amor a la naturaleza. Es no vivir del qué dirán y encender en el cielo del alma dos faros luminosos: el amor y el humor.

Como adulto, despierta al niño que duerme en ti: sé más confiado y menos calculador. El reino de la infancia está abierto para ti al aceptar sin soberbia al niño como maestro de vida.

El escritor ruso León Tolstoi nos invita a valorar la infancia con estas palabras: "Qué tiempo mejor que aquel de la niñez, en el que las dos virtudes más excelsas, la alegría inocente y la necesidad de amor, eran los dos resortes de la vida".

Saber cambiar

*C*ambiar con sabiduría es vital en un mundo en constante transformación que aísla a los que se cierran al cambio.

Es necesario liberarse de aquellos frenos que bloquean el cambio:

1. El temor: Conviene avivar la confianza y así poder derrotar el miedo a lo nuevo y a lo que no se conoce. De un modo especial hay que vencer el miedo a fracasar. Lo mejor es atreverse a fracasar y aprender de los errores.

2. La costumbre: Nada bueno podemos esperar de la rutina que nos aburre y nos paraliza. La vida necesita sorpresas.

3. La duda: Con una fe firme ganamos seguridad y nos decidimos a recorrer nuevos caminos.

4. La incomodidad: Sí, es cierto que un cambio causa molestias, pero no tantas como las que nacen de quedarse atrás.

5. El pesimismo: En lugar de esperar lo peor de un cambio, es mejor pensar en lo bueno que trae y en lo que pierde uno por estancarse.

Reingeniería

*U*no de los muchos dones que el Creador me ha dado se distingue por las siglas PPC: ¡El Poder del Pensamiento Creativo! Con este Poder del Pensamiento Creativo lograron fantásticos resultados los inventores. Ejercitarlo implica vencer enemigos tan serios como la rutina, la apatía y la mediocridad.

Es un poder que me da alas para innovar en mi vida, en mi familia y en mi trabajo. En un mundo de cambios incesantes sólo triunfan los seres abiertos a lo nuevo, con una gran capacidad de adaptación. Muchas relaciones y empresas fracasan por carencia de inventiva o creatividad. Por ver "imposibles" ante toda respuesta, por no arriesgarse con inteligencia a un rediseño radical o reingeniería. Es lo que insinúa Mafalda al decirle al papá: "¿Por qué en vez de cambiar estructuras, a todos les da por remendar armazones?".

El HOY es para mí un AYER cuando dejo de pensar y de crear. Soy agente del cambio positivo cuando sumo reflexión e inventiva. Vivo mejor cuando soy creativo incluso en la rutina de una disciplina constante.

Soñar y comprometerse

$\mathcal{E}$n julio de 1969 el hombre realizó el sueño de llegar a la Luna. Neil Armstrong, el primero en pisar la luna, había soñado siempre con dejar huella en la aviación. A los ocho años de edad, un niño llamado Manuel Elkin Patarroyo ya soñaba en el Tolima con ser otro Luis Pasteur. Patarroyo se dedicó a concretar su ideal y lo logró.

Cuando Leonardo da Vinci tenía 12 años hizo esta promesa: seré uno de los más grandes artistas que el mundo haya conocido jamás. De joven, Simón Bolívar tenía anhelos de libertad y en el Monte Sacro juró un día luchar por la independencia de los países americanos.

Teresa de Jesús, siendo muy niña, escapó de su casa en Avila acompañada de su hermano Rodrigo para ir a morir por la fe en tierra de moros. Un tío los regresó a la casa. Desde pequeño, Thomas Alva Edison realizaba experimentos y soñaba con ser un famoso inventor. Perseveró en su intento superando miles de fracasos.

Todas estas personas llegaron muy alto con dos alas llamadas sueño y compromiso. Se atrevieron a soñar y se dedicaron con pasión a concretar sus sueños. Y eso es lo que yo necesito hacer: Tener fuertes deseos y dedicarme a concretarlos en la esfera del bien.

CREER y visualizar

E l famoso jugador de golf Jack Nicklaus jamás hace una jugada sin antes imaginar el movimiento preciso. Confiesa que antes de un tiro ve en su mente la trayectoria de la pelota en el aire y dónde caerá.

Las personas de éxito saben del poder de una actitud mental positiva y de la visualización. Antes de una acción difícil es muy útil repasar el resultado deseado una y otra vez en la mente. Es una técnica que produce excelentes resultados para cambiar defectos por cualidades.

La práctica de cerrar los ojos, relajarse y verse distinto ayuda para poder uno renovarse. No hablemos de efectos mágicos. Es algo que exige dedicación, disciplina y mucho interés.

En China, un pianista estuvo siete años en la cárcel durante la revolución cultural. Poco después de recobrar su libertad tocó mejor que nunca. Lo explicó así: "Todos los días practicaba mentalmente".

Pensamientos automáticos

*R*Resulta bien interesante tomar consciencia del influjo que ejercen en nuestra vida los "pensamientos automáticos". Así denomina el sicólogo Donald Meichenbaum al diálogo interno que mantenemos todo el tiempo con nosotros mismos. Pocas veces somos conscientes de eso y no nos damos cuenta de que esos pensamientos automáticos moldean nuestra conducta.

Se ha han hecho estudios sobre los enfermos que se curan más rápido o que sobreviven al médico que los desahució. ¿Qué los caracteriza? Una actitud mental positiva que les permite borrar o controlar los pensamientos negativos. ¿Cómo lo hacen? Con una evaluación permanente que les permite conocerse y examinar en qué ocupan su mente. Una técnica consiste en habituarnos a hacer una recapitulación al final del día, evaluando los pensamientos negativos y tratando de ubicar su origen para poderlos eliminar.

Conocer y manejar nuestro diálogo interno nos sirve para controlar la mente y aumentar el optimismo, la confianza y la autoestima. La mente es una cantera de posibilidades infinitas, y al ordenarla, depurarla y aclararla, se convertirá en nuestro instrumento, no en nuestro amo.

Piensa con optimismo

*U*n jugador que va a cobrar una pena máxima y yerra, piensa así: "Si fallo vamos a perder la copa". Aquel que anota suele pensar así: "Si acierto, ganamos el campeonato y recibimos una gran recompensa".

Normalmente actuamos como pensamos y sentimos. Somos el fruto de nuestros pensamientos positivos o negativos. Por eso los optimistas son de "buena suerte" y, los derrotistas, de "mala suerte". La vida nos demuestra que los ganadores se ven como ganadores, luchan por ganar y por lo general ganan. Los ganadores ganan incluso cuando pierden, porque sacan lecciones de las caídas. Saben manejar el error.

Piénsalo bien y te darás cuenta de que cuando crees que puedes o que no puedes, siempre tienes la razón. En efecto, a no ser ante reales imposibles, las metas dependen de tus actitudes positivas o negativas. ¡Eres lo que piensas y lo que sientes! Una ciencia llamada Neurolingüística nos muestra que como hablamos, pensamos y como pensamos, vivimos.

El poder de la palabra

*U*na palabra ofensiva puede ocasionar una discordia.
Una palabra cruel puede destruir una vida.
Una palabra amarga puede crear odio.
Una palabra brutal puede matar el amor.
Una palabra agradable puede suavizar el camino.
Una palabra a tiempo puede evitar un conflicto.
Una palabra alegre puede iluminar la existencia.
Una palabra sabia puede orientar al descarriado.
Una palabra dulce puede brindar ánimo.
Una palabra amorosa puede curar y bendecir".

La sabia enseñanza anterior, de autor desconocido, nos recuerda que la palabra guarda fuerzas insospechadas, es dinámica, es creativa. La palabra es un don divino y se debe usar con respeto sacro. No rebajes la palabra poniéndola al servicio del mal. Habla para unir, no para dividir; para amar, no para odiar.

Que tus palabras sabias sean gotas de miel para el amargado y fuente de luz para el que anda en la penumbra. Aprende a escuchar a los demás porque su palabra también vale.

Neurolingüística

*M*ira cómo hablas, porque así piensas; mira cómo piensas porque así vives. Nuestros pensamientos acaban por convertirse en actos, como lo prueba una nueva ciencia llamada Neurolingüística. Hacemos grandes cosas cuando pensamos en grandes cosas, porque nuestra mente moldea nuestro carácter.

Conviene, pues, que guiados por el Espíritu de Dios, colmemos nuestra mente de pensamientos amorosos y positivos. Si quieres vencer tienes que visualizar el triunfo, en lugar de estar pensando en el fracaso. Las victorias están reservadas a los optimistas tenaces. Enriquece tu mente a diario con la oración, buenas lecturas y pensamientos de concordia, confianza y armonía.

Practica el oportuno consejo que trae el escritor William Shakespeare en su obra Antonio y Cleopatra: "Conserva la serenidad, no hagas de tus pensamientos prisiones para tu alma". Los buenos pensamientos traen quietud al espíritu. ¡Anímate y llena tu alma de paz llenando tu mente de amor! Pídele a Dios que ilumine tu mente y en todas partes irradiarás claridad. Recuerda que tu calidad de tu vida depende de la calidad de tus pensamientos.

Pensamiento

Un problema es un reto

A las oportunidades les encanta disfrazarse. Casi siempre se ponen el disfraz de un problema.

Y las personas animosas van más allá del disfraz y ven en cada problema un reto y una oportunidad.

Como lo hicieron dos de los mejores oradores de la historia: Demóstenes y Churchill, que tenían problemas de habla.

Como lo hizo el más genial inventor de la historia a quien expulsaron de la escuela por torpe: Thomas Alva Edison.

No es fácil ver en cada dificultad una oportunidad, pero tú lo puedes hacer si cuidas tu fe y afianzas tu autoestima.

Necesitas dedicarle a tu alma cuidados diarios. Debes convencerte de que tu alma necesita un constante mantenimiento.

Necesitas dedicar cada día una media hora a la oración, la lectura de libros espirituales y la relajación.

Entonces, con un alma fuerte y valorándote mucho, eres capaz de cantarle a la alegría como lo hizo Beethoven superando su sordera.

¡Animo! Haz aeróbicos espirituales todos los días.

Un ejemplo para enmarcar

*H*ace casi tres años se temía por la vida del ciclista Lance Armstrong. Padecía un cáncer en los testículos que luego se propagó a los pulmones y al cerebro. En octubre de 1996 sintió un terrible dolor en el vientre, escupió sangre, y se vio afectado por una visión borrosa y constantes mareos.

Se tuvo que someter a una intensa quimioterapia de meses y, según sus palabras, le vio la cara a la muerte. Pero Armstrong es un luchador, un ser lleno de tenacidad, de fe sólida y dueño de una perseverancia ejemplar. Aunque le decían que estaba acabado para el deporte, en mayo de 1997 se montó de nuevo en su cicla, dispuesto a lograr grandes cosas.

En esos días conoció a Kristin, el amor de su vida, y con el apoyo de ella, de su familia y sus amigos, le fue ganando la batalla al cáncer y al pesimismo. Armstrong, que había sido campeón mundial de ruta en 1993, retornó, y de qué manera: ¡Como campeón de la prueba ciclística más dura que existe: el Tour de Francia de 1999! Y no sólo eso: agradecido con Dios y con la vida, creó una fundación para enfermos de cáncer que lleva su nombre. ¡Todo un ejemplo de superación y de amor a la vida!

Hacia las grandes alturas

*L*as siguientes reflexiones son de los alpinistas colombianos que intentaron conquistar el Everest y llegaron a la cima del Manaslu. En ellas se siente ese aire de inspiración que sin duda alguna ellos han respirado en las grandes alturas: "No es la montaña lo que se conquista; en verdad es a uno mismo. Cuando la meta es importante los obstáculos se vuelven pequeños y pronto se pasa del miedo que paraliza a la emoción que estimula.

La verdadera fuerza no está en los músculos ni en la mente: está en el corazón y en el espíritu. Al escalar se aprende a dominar el conformismo, la comodidad y el letargo, que son los que nos impiden ascender hasta las cumbres de la vida. Las montañas más difíciles de superar son las montañas mentales, y los únicos que fracasan verdaderamente son los que no lo intentan. En el alpinismo, como en la vida, hay que dividir la gran cumbre en varias cumbres y avanzar por etapas. Sólo se llega alto con un buen trabajo de equipo en el que se comparten los triunfos y las derrotas. En las altas cumbres el contacto con Dios es directo porque se siente Su presencia. De El viene la fuerza cuando se agota la propia".

El milagro puede llegar

*E*n 1988, la atleta de color Gail Devers inició la batalla contra una grave enfermedad de la glándula tiroides. En 1991 casi le tienen que amputar los pies, perdió el cabello y sufría de desarreglos menstruales. Pese a todo esto logró coronarse campeona de los 100 metros planos en los Juegos Olímpicos de Barcelona, en 1992.

Al terminar la competencia dijo algo memorable: "Si luchas, el milagro puede llegar". Y confesó además en su entusiasmo: "Le rogué a Dios que me ayudara, y tuve mucha confianza en mí. Al sentirme enferma busqué una salida, porque no hay obstáculo que no se pueda superar".

Gail Devers se propuso hacer la mejor carrera de su vida y logró su cometido. Lo hizo con mente positiva, con un espíritu fuerte y con fe. Escapó de la enfermedad para vencer. Le dejó al mundo un ejemplo memorable de los milagros que se dan cuando hay oración, acción y dedicación.

Sin alimentar ilusiones, aún en circunstancias adversas podemos esperar lo mejor cuando tenemos confianza y fuerza de voluntad.

Un beisbolista manco

$\mathcal{E}$ n lugar de quejarse de lo que llaman "mala suerte", los seres entusiastas ven situaciones en los problemas y ven retos en los obstáculos.

El lanzador Jim Abbott, del equipo de béisbol Los Angeles de California, es un buen ejemplo. La destreza adquirida en años de entrenamiento le permite lanzar la bola a una velocidad de 145 kilómetros por hora y obtener resonantes victorias.

Es así como ya va en su tercera temporada en ligas mayores, algo que pocos alcanzan. El público está pendiente de su agilidad y los admiradores aplauden sus lanzamientos y sus triunfos. Ni ellos ni él le dan importancia al hecho de que nació manco. Jim Abbott tiene autoestima y esa es su "buena suerte": se acepta manco.

Sí, lo que llamamos un problema es sólo una situación que pide de nosotros fe, superación y positivismo. La suerte se la crea cada cual con sus actitudes y modo de vivir. Somos el resultado de lo que hacemos o dejamos de hacer. Somos afortunados si elegimos sabiamente.

FE Y AMOR

Cuarenta balines incrustados en el cuerpo; riñón, hígado e intestinos lesionados. Grave diagnóstico para el ciclista Greg Lemond en 1987. Más tarde problemas por apendicitis y tendinitis. Una mala racha que hizo pensar en su retiro.

Pero él con su fe y su entusiasmo ganó la competencia más importante al vencer el desánimo y el derrotismo. Por eso, contra todos los pronósticos, en 1989 se coronó como campeón del Tour de Francia y campeón del mundo.

Con determinación y perseverancia logramos metas insospechadas. Los animosos muchas veces hacen posible lo "imposible". La actitud mental positiva nos mueve a derribar barreras que únicamente existen en la mente de los apocados.

Eres rico más por la fe y los valores espirituales que por el dinero y las cosas que acumulas. Ten la certeza de que la fe y el amor son las palancas que mueven el mundo y te acercan al éxito.

Fortalece la fe con mucha positividad, y así la inseguridad no será un freno para triunfar. Haz continuos actos de fe. La fe aumenta el amor y aviva la esperanza.

Tenacidad

*V*oy a seguir adelante aunque todo parezca perdido. Voy a insistir porque la perseverancia convierte en fuerte al débil.

Aún tengo fuerzas como el atleta que llega a la meta, feliz de haber superado los instantes de desaliento.

Con una firme confianza soy capaz de alejar las dudas y con una esperanza recia soy capaz de dominar el desánimo.

Me abro camino como el agua que avanza incontenible hacia el océano. Vuelo con la tenacidad de las gaviotas cuando el viento es contrario.

Sé que puedo recobrar el entusiasmo si recuerdo triunfos vividos y crisis que antes he superado.

Sé que nada me puede detener si cuento con Dios, con aquellos que me quieren, con el poder de la fe y la energía del amor.

No hay tempestad sin calma y no hay noche sin amanecer. No me desespero porque el abecedario del dolor también tiene su letra zeta. Con mucha fortaleza voy a salir adelante ya que ninguna crisis doblega a las almas fuertes.

Un milagro

$\mathcal{T}$om Dempsey nació sin medio pie derecho y con un muñón por brazo derecho, pero desde niño quiso jugar fútbol americano. Durante días y días, con una tenacidad ejemplar, practicó tiros libres dándole al balón con un pie de madera.

Llegó a ser tan hábil que fue contratado por el equipo los Santos de Nueva Orleans. La euforia de 66.910 aficionados llegó al clímax cuando Tom, con su pierna tullida, batió un récord con un tiro libre de 60 metros. El tiro libre más largo jamás efectuado por otro jugador hasta entonces, con el cual los Santos ganaron a los Leones de Detroit, por 19 a 17.

"Hemos sido derrotados por un milagro" confesó Joseph Schmidt, entrenador del equipo de Detroit. Ese milagro se dio por la determinación de Tom, su fe en Dios y su perseverancia.

La grandeza la alcanzan los que luchan sin tregua, con fe en Dios, con ansias de superación y con un entusiasmo desbordante.

Cualiades ganadoras

*E*l jefe de mecánicos del equipo de Juan Pablo Montoya afirma lo siguiente sobre este representante de Colombia en el automovilismo mundial: "Tiene una gran habilidad para aprender. Parece una esponja. Quiere todas las informaciones, y cualquier cosa que uno le diga de inmediato la asimila".

Es interesante observar en este deportista esa cualidad que tiene para desaprender y aprender con mucha paciencia y bastante humildad. En efecto, esas son dos de las cualidades que distinguen a un auténtico triunfador: paciencia y humildad.

Juan Pablo Montoya no es un ganador porque es virgo o tauro, porque usa talismanes o porque nació con suerte. Juan Pablo lleva años practicando, cree en sí mismo, ama lo que hace, aprende cada día y asimila todo lo que puede. ¿Tienes y cultivas estas cualidades, sobre todo en épocas de crisis? ¿Tu confianza es más fuerte que tus dudas y tus temores? Ojalá no te contentes con celebrar los triunfos de Montoya; ojalá vivas aprendiendo, seas perseverante y no dejes de confiar. Sólo así alcanzarás las metas que buscas.

Una vida en miniatura

*C*uento con un nuevo día. Es un regalo que se me da para crecer y madurar, amar y compartir.

Un nuevo día que puedo pintar con los más bellos colores y llenarlo de humanismo y de grandeza.

Como afirmaba el poeta romano Horacio: "Cada día es una vida en miniatura".

Puedo perderlo con el egoísmo y el odio o puedo iluminarlo con la bondad y el servicio.

Bendito Dios, que lo viva con tanta pasión como si fuera el primero y con tanta paz como si fuera el último.

Soy yo el que elijo curar o herir, alabar o maldecir, unir o dividir, reír o llorar, vivir o morir.

Bendito Señor, dame tu luz para hacer el bien, tu Espíritu para amar y tu fuerza para vencer.

Ayúdame, Señor, a vivir este día movido por la fe y animado por la esperanza. Gracias, mi Señor, por este nuevo día. Gracias.

En este nuevo día

*Q*uiero vivir este día con entusiasmo, con decisión y con una firme confianza. Hoy mi entusiasmo tendrá dos alas: la persistencia y la alegría. Sé que la vida está llena de milagros para los que creen, aman y esperan. Por eso, en lugar de concentrarme en lo negativo, hoy voy a valorar todo lo bueno y a fortalecer mi fe y mi esperanza.

Saludo este nuevo día con ánimo y con una nueva actitud. Me lleno de optimismo para vivirlo con intensidad. Recibo este hoy con una actitud de fe, con mucha confianza en mí mismo y con un espíritu resuelto. Quiero que la Energía Divina se sienta en mis pensamientos, en mis palabras y en mis acciones.

Quiero asumir con entusiasmo mi labor y ver en cada dificultad un desafío, no una barrera. Quiero tomar todo lo bueno que me ofrece la vida, sin malgastar fuerzas en la queja o el derrotismo.

La fe y el amor van a ser mis aliados y van a permitir que disfrute al máximo cada hora y cada minuto. ¡Hoy quiero ser feliz!

Estoy vivo

Necesito a diario fortalecer mi esperanza si no quiero que me venza el desaliento. Por eso quiero mirar el lado amable de la vida, apreciar todo lo positivo y ser un decidido optimista. Quiero vivir intensamente el presente sin inquietarme por el ayer ni torturarme por el porvenir.

Hago con frecuencia un balance de mis talentos y doy gracias por tantos dones y beneficios: vida, salud, amor, amistad, trabajo, fe. El inventario de lo bueno es ilimitado. Soy un milagro y el mundo me ofrece incontables maravillas. Doy gracias por la variedad de flores, por la música, los versos, los inventos, la vida toda.

Pienso en el artista ciego o el limitado que hace deporte en silla de ruedas y me digo: ¡Vale la pena vivir! Recuerdo logros anteriores, me siento acompañado por Dios, avivo la confianza y me animo a avanzar con entereza. ¡Estoy vivo! ¡Gracias, Señor Dios mío!

Gracias por el trabajo

Señor, hoy quiero darte gracias por mi trabajo, fuente de grandes bienes y gratas realizaciones. Dame, Dios mío, el don de superar en mi labor los problemas, soportar las contrariedades y gozar de esa calma que ofrece la paciencia. Gracias, Señor, por mi trabajo, el cual me permite desarrollar mis capacidades y dar buen fruto con los talentos.

Mi trabajo me hace madurar, me impide sumirme en el sopor de la pasividad y me vuelve dinámico. Mi trabajo es el campo que se me brinda para ser creativo, solidario, generoso y para dar de lo mucho que he recibido.

Gracias, Oh Dios, por mi trabajo. Si laboro con entusiasmo, lo difícil se torna fácil y lo pesado se hace ligero. Cuando trabajo con amor alcanzo metas que creía imposibles y gracias a mi esfuerzo hay más sonrisas y más paz.

Haz, Señor, que hoy no haga mi trabajo más fatigoso con las quejas y el mal genio, sino que, al contrario, tome mi labor como un servicio y una oportunidad de hacer el bien.

Un nuevo día

*U*n día es nuevo para ti, no sólo porque el sol despunta en el horizonte; es nuevo si lo saludas con entusiasmo. Eres tú quien hace de cada día una aventura fascinante, gracias al optimismo y el anhelo de servir.

Llena esta jornada de encanto y esplendor, con gestos de amor y acciones encumbradas por la bondad. Comparte tus dones, irradia simpatía, alegra al triste, acompaña al solitario, ayuda al necesitado. Disfruta cada instante sin hacerte daño con la culpa, el rencor o la preocupación; vive el presente.

Contempla las maravillas de la creación y del ingenio humano. Lee versos inspirados, escucha hermosas canciones, habla con Dios. Deja la monotonía y haz algo novedoso; ten inventiva para hacer lo mismo pero con espíritu renovado.

¡Elige vivir un día nuevo!

El hoy AVANZA

S Se necesitan años para aprender a valorar los segundos. Nos creemos dueños del tiempo, siendo que sólo poseemos un ahora que huye. Por eso dice Dante en su Divina Comedia que "el tiempo pasa sin que los seres humanos nos apercibamos de ello". Nos hace bien tomar consciencia de que un momento nos puede hacer felices o desgraciados; un solo instante, uno solo.

¿En qué situaciones valoramos el tiempo que no es más que la misma vida que fluye y se nos escapa? Apreciamos el valor del tiempo en un hospital, en una emergencia, en una funeraria o en un cementerio. Deberíamos detenernos con frecuencia ante un reloj de arena para meditar despacio y vernos como transeúntes y peregrinos.

También nosotros, como las aves, somos migratorios y estamos de paso. De hecho la vida también puede verse como la suma de muchos adioses. Carpe diem, cuida el día, dicen los sabios, ya que como decía Longfellow:

> "El hoy y el ayer son las piedras con las que construimos nuestro destino".

Hoy

Admirar y bendecir

*H*oy quiero concentrarme en los pétalos y no en las espinas. Hoy quiero admirar el azul del cielo sin quejarme de las nubes. Hoy hago un gozoso balance de mis dones y bendigo al Señor por todos mis talentos y por su amor sin límites.

Hoy tengo tiempo para valorar a mis seres queridos y dar gracias por mi trabajo, mis bienes y mi salud. Destierro el pesimismo y entierro el desaliento porque me abro jubiloso a la experiencia de alabar y agradecer.

En lugar de envidiar me dedico a elogiar, en lugar de destruir me dedico a construir, en lugar de llorar me dedico a reír. Hoy tengo ojos y corazón para asombrarme con las flores, los árboles, las aves y los peces.

Hoy contemplo el universo con ojos nuevos y aprecio tantas maravillas. Hoy cambio mis lamentos por bendiciones.

Hoy veo mis problemas como oportunidades y me animo a seguir adelante con la ayuda de Dios y de quienes me aman. Hoy elijo vivir en lugar de morir.

Amor y Humor

A mor y humor son las alas que necesitamos para volar muy alto. Amor y humor son los remos con los que llevamos la barca a buen puerto. Son dos amigos que siempre andan unidos y hacen de la vida una aventura maravillosa a pesar de los sinsabores.

Invertir en éstos dos valores es el mejor negocio que podemos hacer. Es mejor que tener dinero en marcos o en yenes. Lo que necesitamos es decir con una profunda convicción: Elijo amar en lugar de odiar, elijo reír en lugar de llorar.

Al fin y al cabo, nuestra vida es el resultado de nuestras elecciones o nuestras omisiones. Tomemos en nuestras manos las llaves maestras del amor y del humor, y todas las puertas se abrirán.

Si valoramos el milagro de la vida y contamos con Dios, podremos aceptar todo, incluso lo adverso, con amabilidad y alegría. Para disipar las sombras basta la luz radiante de dos estrellas: Amor y humor. Con ellas la noche se transforma en día.

El humor, remedio infalible

U Un buen regalo para ti y los que amas es la terapia del buen humor. Ojalá la practiques todos los días. Un experto en el tema es Norman Cousins quien experimentó en sí mismo el poder curativo de la risa y ahora lo usa con otras personas.

Afectado en forma grave por dolorosas inflamaciones de la columna y las articulaciones, Norman decidió irse de la clínica a su casa. Allí, sin dejar de tomar sus medicinas, se dedicó a ver, leer y escuchar todo lo que encontró de buen humor. Poco a poco, viendo comedias y riéndose sin cesar, con una actitud bien positiva, se curó más pronto de lo que suponían los especialistas. Los resultados fueron tan halagadores, que Norman decidió estudiar a fondo los efectos curativos del buen humor.

Investigó sobre el tema en varias culturas, visitó distintos países y se especializó en esta área. Hoy en día hay un buen número de médicos que usan la terapia de la risa y ojalá también te sirva a ti para vivir más y mejor. Si no la has visto, te recomiendo especialmente la película Patch Adams, protagonizada por Robin Williams, cuyo argumento se basa en experiencias reales.

Cielo e infierno

*C*uenta un chiste que alguien llegó al más allá y le mostraron imágenes del cielo y el infierno para que eligiera a dónde ir. Las imágenes aparecían en un computador ultramoderno y, como suele suceder, el infierno aparecía mucho más atrayente que el cielo. En el primero había rumba, sexo, carnaval y licor, lujosos casinos, tentadores moteles y divinos resorts.

El cielo, por el contrario, se veía calmadamente aburrido, lleno de ángeles, santos y vírgenes entre las nubes. Nuestro hombre eligió el infierno, pero al llegar allá se llevó una terrible sorpresa porque lo enviaron de una patada a un horno hipercaliente. Cuando pudo preguntar por qué la realidad era tan diferente a lo que había visto en las pantallas, le dijeron: "bueno, es que lo que viste es sólo la presentación que hace la oficina de mercadeo".

Y otro chiste dice que alguien que llegó al infierno se sorprendió al no encontrar allá el alma de ningún abogado y preguntó el motivo. Muy sencillo, esos no tienen alma y por eso no entran ni al cielo ni al infierno.

Una varonil propuesta

*U*n hombre joven va a un salón de belleza y mientras un peluquero le afeita la barba, una hermosa joven le arregla las uñas. Nuestro hombre comienza a coquetear a la mujer y a hacerle insinuaciones atrevidas:

- Mamacita, la invito a salir esta noche y a dar un paseo. ¿Qué le parece?

- Perdone, señor, pero yo estoy casada y tengo una linda relación de pareja.

- No importa, mi reina, no se complique la vida que hoy en día todo el mundo tiene sus aventuras.

- No, señor, mi esposo y yo somos felices y yo no juego con algo tan sagrado.

- Piénselo bien, muñeca, al fin y al cabo todos lo hacen y no le estamos causando daño a nadie.

- Claro que sí, nos hacemos daño nosotros dos y le hacemos a él lo que usted no quisiera que le hicieran su novia o su esposa.

- Usted es bien difícil, ¿no? Esas son las que a mi me gustan. ¿A qué horas quiere que la recoja? Llame a su marido y dígale que se va a demorar.

- Mire, señor, ¿por qué no se lo dice usted mismo? Mi esposo es el que lo está afeitando.

El predicador regañon

C uenta la historia que en un pueblo vivía un predicador amigo de la rutina, la cantaleta y demasiado interesado en los diezmos. Casi toda la gente se había alejado del templo y de Dios, porque sus celebraciones eran un verdadero sacrificio.

Cierto día nuestro predicador se montó en un bus para ir a otro pueblo y le tocó un chofer que volaba bajito por la peligrosa carretera. En cada curva las ruedas silbaban y todo el mundo comenzó a orar y a encomendarse al Altísimo. El caso fue que el bus se chocó y los únicos que murieron fueron el chofer y el predicador.

Llegaron al cielo y un ángel frente a una moderna computadora les pidió el nombre y luego les dio la destinación así: "El chofer para el cielo y el predicador para el infierno".
"Exijo una explicación", dijo el líder espiritual, y el ángel le respondió:

"En la pantalla se lee que cuando usted predicaba, todo el mundo se aburría y se alejaba de Dios; en cambio, cuando este chofer conducía, toda la gente oraba y se acercaba a Nuestro Señor. El nos sirvió más que usted".

Más allá de las crisis

L o mejor que podemos hacer frente a una crisis es preguntarnos con apertura y sencillez: "¿Qué puedo aprender de aquí?". Las crisis están allí para darnos temple y centrarnos en lo que es realmente importante. Bien enfrentadas, nos mueven a cambios positivos, a corregir fallas y a purificarnos como el oro en el crisol. De hecho las palabras crisis y crisol vienen de la misma raíz griega relacionada con limpiar y purificar.

No hay que temer a las crisis sino a la actitud pasiva o angustiosa frente a las mismas, ya que toda crisis enseña algo y es un llamado a corregir errores o a llenar vacíos. No debemos perder energías en culparnos o culpar por las fallas, sino esmerarnos en buscar soluciones. Es cierto lo que afirma Frank Crane: "Los grandes hombres hacen de sus errores escalones hacia el éxito".

Todo fracaso y todo problema esconden valiosas enseñanzas en el arduo ascenso humano hacia la madurez espiritual. En el lenguaje de San Juan de la Cruz, el místico carmelita, diríamos que no se llega a la luz sin pasar por la noche oscura. Por eso es tan importante enriquecer el espíritu por todos los medios, para no naufragar cuando arrecia el temporal.

Manejo de conflictos

*L*a felicidad no consiste en evitar todos los conflictos sino en saberlos manejar y en crecer espiritualmente con ellos. Por eso debes aprender a desarrollar habilidades para asumir los conflictos con calma, humildad, comprensión y creatividad.

Ante todo necesitas mucha tranquilidad para detenerte, tomar consciencia, orar, meditar y conocerte mejor. Así puedes analizar tus emociones, dedicarte a controlarlas y prevenir tus estados de ánimo, en lugar de recaer en nocivas explosiones emocionales.

Necesitas también mucha humildad y objetividad, para no culpar a otros, y debes crecer en capacidad para asumir la responsabilidad por lo que eres y lo que haces. Sencillez y comprensión son los dos valores más importantes para manejar tus relaciones con expectativas realistas.

La clave está en una aceptación serena de ti mismo y de los otros, ya que muchos conflictos nacen de querer cambiar a los demás. Finalmente necesitas usar tu imaginación para buscar soluciones y generar oportunidades. Todo conflicto sirve para mejorar y las crisis bien asumidas son un camino de crecimiento y liberación.

Ante La muerte

*P*iensa en la muerte con esperanza, como un nuevo comienzo, no como un fin definitivo. El ansia de inmortalidad que anida en lo íntimo de todo ser pide un más allá para ser más y dar más. "Algún día veremos que la muerte no puede robarnos nada de lo que nuestra alma ha ganado", afirmaba Tagore. Los orientales asumen la muerte con una entereza y una serenidad que envidiamos en occidente. Pero también nosotros podemos lograrlo si nuestras relaciones son menos dependientes y somos más espirituales.

Sólo la fe y el amor alejan las sombras que la muerte trae a nuestro cielo. Podemos aprender de los indígenas, que consideran a la muerte como un paso a otra vida y no hacen de este tránsito una tragedia, sino un motivo de fiesta.

Ante la muerte es necesario "vivir el duelo" y liberar emociones de pesar, ira o culpa, pero de una manera sana. Peor sería reprimir esos sentimientos. Aunque no sientas deseos, pasea, recibe visitas, oye música, trata de seguir tu vida lo más normal que puedas. No es fácil, pero lo puedes lograr poco a poco si te ayudas y te dejas ayudar. La congoja será tu ingrata compañera si no aceptas la realidad y no avivas la esperanza.

Reacción sicológica

*L*os seres humanos muchas veces sólo reaccionamos y sentimos profundamente cuando el dolor nos revuelca y nos saca de la comodidad y de una anestesia constante. El ciclón que nos estremece puede ser la muerte de un familiar, un secuestro, una invalidez, una quiebra o una enfermedad.

Se sabe ya que la reacción sicológica ante estos golpes pasa inicialmente por diversas etapas, entre las cuales están la negación, la proyección, la evasión y la depresión. Al final, si nos ayudamos y nos dejamos ayudar, llegamos a una aceptación activa que luego puede ser convertida en superación. El proceso es lento y difícil, y ojalá nos lleve a crecer, a cambiar lo que conviene cambiar y a mejorar. Las cosas siempre suceden para algo y las vivimos porque las necesitamos como ayudas en una toma de conciencia. Los golpes son para despertar, para liberarnos de lo que nos esclaviza, para valorar lo que somos y lo que tenemos. Es triste que así sea, pero muchas veces sólo cambiamos a punta de remezones. ¿Cuántos más necesita un país como el nuestro en el que conviven la miseria y el derroche, el hambre y la inconsciencia?

Haz inventario de tus bienes

No digas que no puedes soportar esa pena, esa muerte, esa enfermedad. ¡Claro que sí puedes! Tienes más energía de lo que piensas. El amor, la fe y la esperanza son tu apoyo ante el desaliento.

Cuando exclamas "no puedo", tú mismo te programas para la derrota y asumes el rol de víctima. ¿Qué tal si aceptas el dolor con entereza? "¡Es muy duro, pero me voy a sobreponer! ¡Es penoso, pero voy a superarme!".

Sería muy triste que mientras tus difuntos están vivos en el más allá tú estés muerto en vida aquí. En lugar de lamentarte por lo que no tienes, anímate a disfrutar lo que aún conservas.

Haz inventario de tus bienes. ¡Claro que sí puedes! Cree en Dios porque no es El quien manda males, siéntelo en tu alma. El es tu esperanza. Valora todo lo bueno que te rodea. ¡Eres fuerte, no vas a claudicar, vas a vencer, vas a superarte, vas a vivir!

Saber perder

*A*sí pensaba el escritor inglés Charles Dickens: "Cada fracaso le enseña al hombre algo que necesitaba aprender". ¿Sé aceptar yo los fracasos? ¡Ojalá que sí! Así, en lugar de desanimarme, me enseñan a vivir.

Eso que llaman derrota no es más que una experiencia, un llamado a aprender, a mejorar. Lo serio no es equivocarse; lo serio es no reconocer los errores e insistir con una terquedad nociva.

Gano muchísimo cuando soy un buen perdedor. Entonces reflexiono, corrijo y avanzo. ¿Acaso se aprende a escribir sin sumar tachaduras o borrones? Quiero ver en el fracaso un peldaño hacia el éxito. Saber perder es crecerse ante las caídas, tomar las crisis como desafíos, perseverar sin claudicar.

La naturaleza nos enseña que convertir en diamante un carbón es un milagro que sólo se obtiene mediante la paciencia y la dedicación.

¡Ánimo! ¡Adelante!

A viva la confianza y fortalece el ánimo, aunque arrecie el temporal y bebas la hiel del fracaso. No te des por vencido y saca a relucir todo el coraje para superar la adversidad. Sé un luchador infatigable.

Mantén encendido el fuego de la esperanza hasta que el alba suceda a la noche. Con una fe firme en ti, en Dios y en los demás, logras vencer el desaliento y avanzar sin decaer. Recuerda que miles de seres saben sobrellevar peores calamidades, y recomenzar cuando todo se ha perdido.

Aprecia los talentos recibidos y eso te ayudará a ser positivo, sin concentrarte sólo en el dolor. Con una esperanza sólida y una fe activa, eres capaz de ganarle la batalla al infortunio y la fatalidad.

Es en las crisis donde se muestra la grandeza del hombre, y donde se ve que no hay riqueza comparable a la espiritual.

A través de las lágrimas

$\mathcal{E}$n muchas ocasiones nuestros ojos sólo ven bien a través de las lágrimas. En determinadas situaciones sólo aprendemos a través del dolor. Por más esfuerzos que hagamos nunca logramos evitar las penas, porque ellas también son materia prima de la existencia.

Cuando las olas hacen crujir nuestro velero no hay espacio sino para las preguntas, las quejas y los porqués. Después, cuando la mar se aquieta y el tiempo cierra las heridas, descubrimos que el sufrimiento es un buen maestro en las lides de la vida. Claro que sus enseñanzas sólo se pueden aceptar y comprender cuando somos ricos en fe, en amor y en esperanza. Sin estas virtudes, sin Dios como centro de nuestra existencia, el cincel que el destino emplea para modelarnos sólo deja chispas de furia, esquirlas de rabia y el polvo de un eterno descontento.

En lugar de sobreprotegernos tanto desde la infancia, deberían educarnos para saber incluir los golpes, las crisis y las derrotas en nuestro mapa existencial. Querámoslo o no, hay épocas de abrumadoras sequías y épocas de incontenibles inundaciones. Por eso nos hace bien aprender a sufrir y a ser pacientes.

Crisis

Por la luz a la cruz

*T*arde o temprano acabamos por entender que el dolor educa, hace madurar y nos deja valiosas enseñanzas. Quisiéramos siempre una fresca brisa, pero la vida nos muestra que las cometas no se levantan a favor del viento sino en contra de él. Para conocer lo que vale la luz es preciso haber caminado durante mucho tiempo a través de la noche.

Saber vivir es crecer en capacidad de aceptación y sobrellevar con altura aquellos males que son inevitables. Somos capaces de atenuar el dolor con la magia del amor, conscientes de que las quejas y la rebeldía sólo aumentan la amargura. Cuando hay paz en el corazón y estamos en unión con Dios, podemos navegar por mares tempestuosos sin perder la calma.

La fe y el amor, iluminados por la esperanza, dan fuerza a muchos que soportan terribles males con un estoicismo ejemplar. La fe, la esperanza y el amor inundan el espíritu de coraje y de ánimo cuando estamos a punto de desfallecer. Son tres virtudes que nos ayudan a superar el dolor que no podemos evitar. La vida nos enseña que por la cruz se llega a la luz.

Crisis

Luz en nuestros corazones

*S*i estás con el alma rota y el corazón desecho, si andas escaso de esperanza, detente y anímate con esta confesión de San Pablo:

"El mismo Dios que dijo: **Brille la luz en medio de las tinieblas**, es el que se hizo luz en nuestros corazones para que se irradie la gloria de Dios, tal como brilla en el rostro de Cristo. Con todo, llevamos este tesoro en vasos de barro para que esta fuerza soberana se vea como obra de Dios y no nuestra. Nos sobrevienen pruebas de toda clase, pero no nos desanimamos; estamos entre problemas pero no nos desesperamos.

Somos perseguidos, pero no eliminados; derribados, pero no fuera de combate. Por todas partes llevamos en nuestra persona la muerte de Jesús, para que también la vida de Jesús se manifieste en nosotros.

No nos desanimamos; al contrario, aunque nuestro exterior esté decayendo, nuestro ser interior se va renovando cada día. No nos fijamos en lo que se ve, sino en lo que no se ve, porque las cosas visibles duran un momento pero las invisibles son para siempre".

Construir catedrales

*E*n plena Edad Media un peregrino vio en París a tres obreros trabajando con grandes bloques de piedra.

-¿Qué están haciendo? Les preguntó.

-Cortando piedra, dijo uno con indiferencia.

-Ganándonos unos francos, repuso secamente el segundo.

El tercero suspendió su labor por un momento y con marcado entusiasmo respondió:

-Estamos construyendo una hermosa catedral que va a ser la más importante de la ciudad.

En el hogar, la empresa, el centro de estudio y el país hacen falta personas que vibren al "Construir Catedrales". Personas creadoras, positivas y entusiastas, que tomen el trabajo con motivación y esperanza.

Se buscan personas que no sólo laboran por obligación y por dinero. Seres que quieren lo que hacen aunque no hagan lo que quieren. Que miran el trabajo como una oportunidad para servir y dar buen fruto con sus dones. Personas que en su labor diaria "Construyen Catedrales".

¡Conócete!

*C*onócete a ti mismo ¿Cuántas veces has escuchado este sabio principio? Tantas que quizás ya no te dice nada. Sin embargo, en él está la raíz de la sabiduría, de una toma de consciencia y, por ende, del despertar espiritual. Ir hacia adentro, hacia el íntimo ser, hacia el yo esencial que da sentido a todos los yoes que somos, es una de las metas de la meditación.

El autoconocimiento es una tarea difícil que muchos inician y pocos terminan, porque confronta y pide bastante disciplina. En el corto y ameno relato, El caballero de la armadura oxidada, el americano Robert Fisher nos muestra, con un fino humor, que nos cuesta vernos tal como en realidad somos porque nos hemos enamorado de nuestras máscaras. Pero ahí está la vida poniéndonos frente a frente con la realidad, por las buenas o por las malas.

Ojalá dejes de huir de ti mismo y descubras que no eres lo que piensas ser y que tu realidad es distinta de la imagen. En el fondo, todo ser humano es un ser de incomparable belleza, para lo cual debes verte en tu desnudez espiritual y decidirte a ser lo que debes y puedes ser.

El sentido de la vida

$\mathcal{L}$ lega un momento de la vida en el que, tarde o temprano, descubrimos que nos hemos desgastado en actos que carecen de sentido profundo. Llega un instante en el que un vacío interno nos grita que debe haber algo más, y nos preguntamos entonces "¿quién soy yo? ¿para qué estoy aquí? ".

De acuerdo con serios estudios efectuados en Estados Unidos, la prioridad de cerca del 75% de los jóvenes de ese país estriba en "encontrarle un sentido a la vida y conseguir una visión del mundo que le dé significado a la existencia".

¿Dónde está ese sentido? No es fácil decirlo pero va unido al amor, a una misión de servicio y a la trascendencia. Un buen libro para profundizar esta realidad tan vital es El hombre en busca de sentido, de Victor Frankl. Ahí vemos que incluso en un campo de concentración hay un sentido para vivir si brillan la fe, el amor y el deseo de servir. El sentido de la vida pide interiorización, desapego y autocontrol; también pide sensibilidad y servicialidad. Hay que tomar consciencia a tiempo del sentido de la vida, y darle a la prioridad que merece.

Afanes de cielo

A sí se ve y nos ve el poeta español José Maria Pemán: "Soy luz y barro del suelo, soy el polvo y el anhelo puestos en continua guerra. Soy un poquito de tierra que tiene afanes de cielo". Magnífica descripción del barro y la luz con que estamos amasados y de la batalla interna entre el bien y el mal.

Y el poeta colombiano Diego O' Fallon tiene palabras igualmente bellas cuando pone a las constelaciones a decir: "Es triste ver al hombre que luz y lodo encierra, mirarnos desde abajo con infinito anhelo; tocada la sandalia con polvo de la tierra, tocada la pupila con resplandor del cielo".

Sí, eso somos todos: un escenario en el que combaten el amor y el odio; la verdad y la mentira; lo más sublime y lo más ruin. Cada quien elige al ganador de esa batalla de acuerdo con las personas que trata y los ambientes que visita. Cada cual elige cielo o infierno, cercanía o distanciamiento de Dios, actuando con una conciencia recta o desviada. Por sin duda alguna nuestra misión es la de tener siempre afanes de cielo y la de ser luz en medio de tantas sombras.

12 VALORES

$\mathcal{E}$n un librito de relaciones humanas encontré una página con este título:

12 cosas que nunca se deben olvidar

1. El valor del tiempo.
2. El éxito de la perseverancia.
3. La satisfacción del trabajo honrado.
4. La dignidad de la sencillez.
5. La importancia del carácter.
6. El encanto de la amabilidad.
7. La influencia del ejemplo.
8. La fuerza del deber.
9. La prudencia de la economía.
10. El poder de la paciencia.
11. La luz de la rectitud.
12. La magia del amor.

Es una buena lista para invertir en la Bolsa de Valores Espirituales y acabar con la devaluación moral. Nos conviene exportar del alma todo lo negativo y hacer una masiva importación de virtudes y cualidades. Necesitamos calidad en las personas más que en los productos. Y calidad en las familias y no sólo en las empresas.

Altos ideales

C uando los ideales te motivan eres capaz de vencer obstáculos, soportar penalidades y actuar con arrojo. Con fuertes deseos de amar, servir o triunfar, te superas, como no lo hacen el indolente o el pesimista. Cultivas nobles ideales y eres como el alpinista: un ser decidido, valiente y perseverante.

No son las dificultades sino el desaliento lo que nos impide conquistar las metas soñadas. Necesitamos más leña en la hoguera de la confianza. Ojalá en nuestro hogar y en nuestro trabajo pongamos lo mejor de nosotros mismos, con la paciencia del pescador. Cuántas veces sale en su bote y regresa sin nada, tras largas horas de intenso trabajo. No obstante, vuelve de nuevo sin perder la confianza, hasta que logra su cometido sin dejarse dominar por los fracasos.

Todos podemos hacer una buena pesca dejando de lado el facilismo y luchando con fe, esfuerzo y tenacidad. Atrevámonos a soñar y a crear un oasis en el desierto. Atrevámonos a buscar grandes ideales y podremos disfrutar grandes realizaciones. Todo es posible para el que cree.

Quemar las naves

*L*a historia cuenta que Hernán Cortez mandó quemar las naves antes de adentrarse rumbo a la capital de los aztecas. Aún hoy en día se emplea el dicho "quemar las naves", como indicio de una firme resolución y la entrega total a una misión. Con su gesto osado, Hernán Cortez asumía con sus soldados el reto de insistir a toda costa hasta alcanzar el objetivo de conquistar a México.

¿Qué puede detener a aquel que está resuelto a vencer o morir? Sólo con una voluntad firme se llega a la cima del éxito. Por eso Jesucristo decía que quien quisiera seguirle no debía volver la vista atrás. Lucas 9, 62. En la relación de pareja y en el trabajo se cae hoy con frecuencia en dos tentaciones: facilismo e inmediatismo.

Conviene, entonces, recordar que nada grande se logra sin sacrificios y sin un proceso de maduración. Amar es un arte que pide dedicación, entrega y paciencia. No es sensato quererlo todo facilito y rápido. Hay que "quemar las naves" y entregarse con todo y del todo.

Contra la hipnosis social

*E*l escritor británico Alan Watts fue un inquieto investigador, y en sus experiencias en la India adquirió un conocimiento que le permitió equilibrar con sabiduría dos visiones: la oriental y la occidental. En uno de sus libros critica la vacuidad del consumismo y del materialismo que provocan lo que él llama una "hipnosis social". El término es excelente para describir a una sociedad llena de idolatrías y de superficialidad. Una sociedad ligth.

¿Cuántos son verdaderos rebeldes ante los reclamos de la moda, de lo vano, de lo efímero y lo aparente? Algunos hippies lo fueron en su tiempo, pero muchos de ellos se fueron al otro extremo. Luego vinieron los yupis y se dejaron robotizar por el sistema.

¿Cómo liberarse de la hipnosis social? Sólo por un sendero espiritual de amor, verdad y desapego. Fernándo González, el filósofo y escritor envigadeño, con su enseñanza y ejemplo sobre la autenticidad, fue un claro testimonio de ese espíritu rebelde a toda apariencia. Ojalá lo leas tú también. Un camino difícil, de soledad y en contravía. Es "La puerta estrecha" de la que habló Jesús. ¿Estás dispuesto a entrar por ella?

Visión

La fuerza de los ideales

*M*e gusta este proverbio nórdico: "Si te atreves a buscar altos ideales, esos mismos ideales duplicarán tus fuerzas para lograr alcanzarlos". Está comprobado que las metas nobles son un aliciente para el espíritu y motivan al ser humano a dar lo mejor de sí. Logro lo mejor cuando tengo una firme confianza y persigo los objetivos con decisión y entusiasmo.

No puedo vencer si rondan en mi mente pensamientos como estos: "No puedo, es muy difícil, imposible, no soy capaz, no lo voy a lograr, voy a fracasar". Lo que necesito es una mente positiva y un corazón animoso. Lo que necesito son altos ideales y mucha dedicación.

Como decía Willian James: "Todos podemos hacer más. Lo importante es que nos atrevamos a intentarlo". Sí, yo puedo hacer más y progresar más con una fe viva, con tenacidad y con una esperanza inquebrantable.

Hoy levanto la mirada y me siento capaz de imponer nuevos records como los deportistas audaces. Como ellos busco retos que muestren de qué soy capaz.

Las águilas no cazan moscas

*U*n antiguo proverbio latino te servirá para no gastar energías en pequeñeces sin sentido: "las águilas no cazan moscas". Santa Teresa de Jesús empleaba mucho esta expresión para motivar a las personas. Tan importante es valorar el encanto de las cosas pequeñas como lo es no dejarse frenar por pendejadas o "naderías".

Fuimos creados para lo sublime y no debemos desgastarnos en lo trivial, que siempre es efímero. Vuela como el águila y no te detengas a cazar moscas: no devuelvas las injurias y no te deprimas por las críticas. Deja que los envidiosos se revuelquen en su pantano y sigue adelante con paso firme y con el alma en paz.

Nada debes temer si de verdad estás con Dios y actúas con integridad. Todo el que sirve está expuesto a la incomprensión, todo el que hace el bien recibe agravios. Jesús lo vivió y lo anunció en un texto que conviene meditar: Mateo 5, 1-12. Ten confianza, que las podas son para florecer y para dar buenos frutos.

PERSPECTIVA ETERNA

C on gran fortaleza el escritor argentino Jorge Luis Borges sobrellevó la ceguera que lo acompañó durante más de 30 años. Su vida es un testimonio elocuente de la capacidad que tiene el ser humano de superarse y vencer la adversidad. Reconforta acoger en el alma sus palabras para escaparse del oscuro pasadizo del desespero:

"Todo hombre debe pensar que cuanto le ocurre es un instrumento; todas las cosas le han sido dadas para un fin. Todo lo que le pasa, incluso las humillaciones, los bochornos, las desventuras, todo eso le ha sido dado como arcilla y tiene que aprovecharlo. Esas cosas nos fueron dadas para que las transmutemos, para que hagamos de las circunstancias de nuestra vida cosas eternas o que aspiren a serlo".

Estas palabras de Borges nos llaman a no perder la confianza, y "mirarlo todo bajo la perspectiva de la eternidad", como sugería el pensador Baruch Spinosa con gran agudeza. En la perspectiva de lo eterno todo adquiere un nuevo significado y somos capaces de moldear con amor la arcilla del dolor.

Autocontrol

S i te ofuscas con facilidad es bueno que te sientes a examinar las fuentes de tu irritabilidad. Identifícalas y haz un programa evaluable para controlarlas en un proceso diario. Verás cómo logras progresos notorios. Estas son las causas más frecuentes.:

1 EGOISMO. Chocas con otros porque quieres que siempre se haga tu voluntad. Aprende a ceder y a valorar a los demás. Toma la decisión de escuchar a los otros y ponte en su lugar. Siendo tolerante evitarás discordias y heridas.

2 ORGULLO. Es grave que te creas más que nadie, que no aceptes tus fallas y que maltrates con tu arrogancia. Pide a Dios sencillez, haz una lista de todo lo que ganas siendo humilde, y esmérate por desterrar la soberbia.

3 PERFECCIONISMO. Es causa de continuas peleas porque no cuentas con los errores y buscas en todo calidad total. Aunque conviene huir de la mediocridad, es necesario presupuestar pérdidas. Hazlo si no quieres sufrir y hacer sufrir. Todavía no estamos en el cielo.

Tres autos

*L*a vida es como una concesionaria de automóviles; en ella los seres humanos eligen entre tres clases de autos.

El primero deslumbra por su apariencia y cuenta con un peligroso poder de aceleración. Este auto se llama AUTOSUFICIENCIA. No admite frenos y sólo funciona con gasolina supersoberbia. Obliga al ególatra que lo conduce a llevarse a todos por delante, y a vivir de estrellón en estrellón.

El segundo es un cacharro destartalado que sólo tiene reversa; frenos excelentes y aceleración casi nula. Es la AUTOCOMPASION. La pobre víctima que lo maneja vive paralizada por el temor, los complejos y el desaliento. Es un experto en quejarse y culpar a otros.

El tercer auto está diseñado con armonía interior y exterior y, con escollos comprensibles, lleva a su feliz dueño a las metas deseadas. Se llama AUTOESTIMA. Es el fruto de una buena "autoimagen" y lleva a la "autorealización" a quien lo cuida y sabe perseverar. Vives bien si te amas a tí mismo, a Dios y a los demás.

Deja ATRÁS el odio

*E*l odio es bueno para algo: para enfermarnos y destruirnos. El odio nos roba la paz del alma y nos mata en vida. Por eso necesitas ejercitarte en la paciencia y en la tolerancia como medios para perdonar de corazón. Como dijo hace siglos Heráclito: "El odio es peor que un incendio porque en lugar de abrasar objetos acaba con las personas".

¿Cómo haces para extinguir las peligrosas llamaradas del odio y del resentimiento? Ante todo debes estar muy unido a Dios ya que El es el mejor maestro del perdón. Con Su Espíritu puedes vencer toda forma de limitación.

Necesitas también una nueva mirada para ver a los demás, no como bestias, sino como seres equivocados y sin luz.

Debes apoyarte en los testimonios de otros, en buenas lecturas, en meditar y en hacer del perdón una práctica cotidiana. Perdonar es un proceso que libera y que sana. Anímate a perdonar porque el odio es un incendio voraz. En el perdón hay vida y en odio hay muerte, en el perdón hay luz y en el odio hay sombras.

Cierra las puertas a la ira

*D*esde tiempos antiguos los sabios han dado diversos consejos para prevenir y controlar la ira. Uno de ellos recomienda dedicarnos a analizar las causas de la misma, ya que sólo dominamos una emoción negativa cuando nos conocemos bien.

Una de esas causas es el perfeccionismo y otra es el orgullo; en ocasiones es el egoísmo y en otras el estar mal consigo mismo. Esta última es bien frecuente y pocas personas perciben que están en guerra con los demás porque en el fondo están librando una ardua batalla interna.

El día que deciden aceptarse y ganar paz interior descubren que sin ningún esfuerzo miran a los demás con bondad y tolerancia. De algún modo el perfeccionismo se elimina del mismo modo, ya que al ser indulgentes con nosotros mismos también lo somos con otros.

Un buen medio para prevenir la ira es orar pidiendo a Dios serenidad y visualizarse a sí mismo reaccionando con calma y control. Así podemos aprovechar el poder del pensamiento y del inconsciente. La clave está en practicar la relajación y la visualización. Los resultados son excelentes.

Autodominio

Cómo vencer el temor

*F*ortalece la fe y debilitarás el temor. Piensa en esto: "El temor tocó a la puerta, la fe abrió, y no había nadie". El temor se vence con el amor: "El amor perfecto deja fuera el temor", dice San Juan.

El temor se derrota enfrentándose a aquello que lo provoca. En lugar de huir, lucha y verás cómo eres muy capaz de sobreponerte. Piensa positivamente y controla la imaginación para que no llenes tu mente de engendros.

El arte de vencer el temor es el arte de tener una conciencia tranquila, amar a Dios y amarse a sí mismo. Es también el arte de confiar y tener seguridad. Una seguridad que es firme, cuando eres consciente de los dones recibidos, y cuando te levantas pensando en los logros, en lugar de hundirte recordando los fracasos. Una seguridad que poco sabe de miedos para aquel que tiene a Dios como amigo, como alcázar y liberador según el Salmo 62, 6-8.

Cree que Dios es de verdad tu Buen Pastor. Así podrás exclamar: "Nada temo porque Tú, Señor, estás conmigo".

FE Y ÁNIMO

$\mathcal{V}$ oy a seguir adelante con firme confianza, así como el compositor Beethoven aceptó su sordera y nos legó melodías inmortales. Quiero derrotar el desaliento con la fe y el ánimo que impulsaron al escritor inglés Milton, que estando ciego dictó a sus hijas El paraíso perdido.

No voy a claudicar sino a superarme con la resolución de Edison, que nos dejó centenares de inventos aunque estaba medio sordo. Quiero dar lo mejor de mí con el coraje del físico inglés Stephen Hawking, quien sigue investigando aunque está completamente paralizado en una silla de ruedas.

Dios me da fuerzas para esperar en la noche la luz del día, así como Jesús cambió su muerte en el triunfo de la resurrección. Voy a ser más fuerte que las penas, con la tenacidad que mostró el actor Michael Landon en su lucha contra el cáncer.

Voy a ponerle hermosos colores a la vida con la alegre esperanza que irradia el compositor ciego Joaquín Rodrigo. Mi fe se fortalece como la de San Pablo quien en la cárcel siente que Dios lo asiste y le da fuerzas. (2 Timoteo 4,1-18). Con Dios brilla la luz de la fe y se alejan las sombras del dolor.

Trabajo y perseverancia

$\mathcal{D}$e un pensador llamado Joubert es esta frase: "el genio empieza las grandes obras pero sólo el trabajo las termina". Pensamiento que va muy bien al lado de esta tajante afirmación del inventor Thomas Alva Edison: "Mis inventos no son fruto de la suerte; son el fruto de un 1% de inspiración y un 99% de transpiración".

Es bastante cómodo explicar los malos resultados culpando al destino, a las circunstancias o a los demás. Claro que en épocas de crisis las metas no se cumplen como era de esperar, pero aún entonces a los entusiastas les va mejor.

El trabajo y la tenacidad nos dan el empuje para avanzar a pesar de lo adversas que puedan parecer las circunstancias. La confianza y la perseverancia son las alas que nos mueven a volar en situaciones en que otros se quejan y se rinden.

Al compositor Beethoven se atribuye una frase similar a la de Edison y que refleja su lucha por la excelencia: "Las grandes obras son el resultado de un 98% de trabajo y un 2% de talento". Ama lo que haces y sé perseverante.

El diablo y el desaliento

C uenta la leyenda que un día Dios mandó llamar al diablo y cuando éste compareció le dijo: "Son tantas las plegarias que me hacen para que aquiete tu fuerza, que he decidido privarte de todos tus poderes, excepto de uno. Elige, pues, aquel que quieras conservar".

El diablo se puso triste, al saber que sólo dispondría de un poder para hacer todo el mal posible. Después de pensar, satanás hizo una mueca y dijo satisfecho: "Me quedo con el poder de desalentar a los hombres. Con eso me basta."

¿Puede existir un arma más peligrosa? El desaliento acaba con el amor, la fe, el hogar o el trabajo. Se puede presagiar el fracaso cuando alguien se deja abatir por el desánimo y deja de luchar; el problema no está en las dificultades, que para el animoso son retos, sino en el pesimismo y la desmoralización.

Cuida tu fe y aviva la esperanza para perseverar y no decaer. Trabaja con ganas y vencerás el demonio del desaliento. Aprende de tantos que se superan y llénate de la energía divina: tú y Dios, bien unidos, son fuerza victoriosa.

ENTUSIASMO

Optimismo

$\mathcal{E}$n el deporte y en otras áreas no ganan siempre los más dotados sino los más dedicados y los que más ganas ponen.

Ganan los que son entusiastas y perseverantes; los que aprenden de las caídas y son ricos en confianza.

Por eso yo necesito cada día fortalecer mi optimismo con buenas lecturas, oración y pensamientos positivos. Necesito un filtro para las malas noticias y una grabadora para todo lo que brinda ánimo y resolución.

Me conviene alejarme de aquellos que todo lo ven oscuro y que con su negativismo aumentan el mal que critican.

Me hace bien no ver el país o la ciudad con la óptica sombría de ciertos noticieros que jamás destacan todo lo bueno.

Necesito una fe firme y una esperanza sólida para ganar donde pierden los pesimistas y los temerosos.

Cada día tengo el reto y la misión de mirar el sol aunque lo tapen las nubes. Todo es posible para el que cree, decía Jesucristo.

Saber Fracasar

*A*ntes de escribir le pido a Dios que me ilumine y me de sabiduría. Sé que sólo inspirado por el Espíritu Divino puedo compartir mensajes que lleven vida, amor y verdad. Se que soy un instrumento de Dios y que los mensajes no son míos sino nuestros. Podemos dar porque hemos recibido sin medida. Agradezco el estímulo y la colaboración de tantos amigos. Seres bondadosos y optimistas, como mi amigo Jonás Cardona, que me hizo llegar este testimonio de superación:

Abraham Lincoln perdió su trabajo en 1832, a los 23 años de edad. Ese mismo año fue vencido en su lucha por la legislatura. Fracasó en los negocios en 1833. Sufrió una depresión nerviosa en 1836. Fue derrotado en la búsqueda de la legislatura del Estado de Illinois en el año 1838. En 1843 no pudo entrar al Congreso.

En 1848 perdió de nuevo en su intento por ser congresista. En 1849 fue rechazado de la Oficina de Catastro y en 1854 fue derrotado cuando quería ir al Senado. En 1856 no logró llegar a la vicepresidencia; en 1858 no pudo ser senador. En el año 1861 Lincoln llegó a la presidencia de los Estados Unidos. ¡La perseverancia convierte sueños en triunfos!

El ganador

*D*icen que la diferencia entre un triunfador y los demás, muchas veces reside en un pequeño esfuerzo extra. El ganador de una competencia suele aventajar a los que siguen por una mínima diferencia. Es cuestión de perseverancia, de no darse por vencido, de insistir cuando otros abandonan.

Necesito buscar la salida aprendiendo la lección de las raíces: siempre encuentran un camino para avanzar. Necesito fortalecer la fe y acrecentar la esperanza. Sólo puedo vencer estando seguro de mí mismo. Necesito altas dosis de entusiasmo si quiero vencer el desaliento y avanzar sin que las dudas me frenen.

Soy un triunfador cuando creo que muchos imposibles son posibles; cuando pienso positivamente y actuó decididamente. Soy un triunfador cuando escucho el consejo de Dante, y me comprometo a cumplirlo:

¡Levántate y vence tu flaqueza
con el ánimo que triunfa en los combates!

PERSEVERAR

*L*a gran científica Marie Curie y su esposo Pierre eran muy pacientes. Durante cuatro largos años procesaron seis toneladas de minerales para obtener una cucharadita de un nuevo elemento. Así descubrieron el radium e hicieron un aporte fundamental para el avance de la energía atómica.

Por su amor al estudio y su perseverancia, madame Curie es la única mujer con dos premios Nobel. Un buen modelo para quienes se ilusionan con triunfos tan fáciles como efímeros. El futuro sólo es promisorio para los que con paciencia cultivan los valores del espíritu.

A los seres sin hondura interior se les cierra el horizonte. Las personas vacías se llenan de frustración. ¡Qué pobres son los que se enriquecen fácilmente! Sólo las almas grandes saben de la verdadera riqueza. ¡Sé perseverante!

La tenacidad es uno de los valores que adornan a los que se superan y triunfan. El éxito sólo acompaña al perseverante. El éxito lo alcanza quien no se intimida ante los obstáculos y, antes bien, se crece cuando lo critican.

Atrévete a elegir

*E*l escritor Eduardo Galeano dice algo supremamente aleccionador:

"Una mañana nos regalaron un conejo de Indias. Llegó a casa enjaulado. Al mediodía le abrí la puerta de la jaula. Volví a casa al anochecer y lo encontré tal como lo había dejado: jaula adentro, pegado a los barrotes, temblando del susto de la libertad".

¿Cuántas personas son libres? ¿Cuántas saben correr riesgos y se atreven a volar como las águilas? Hay millones de siervos amaestrados para no pensar y programados para obedecer y decir sí.

El sistema te domestica para ser rebaño y te convence de que disentir es un delito y criticar una herejía. Te abren la jaula pero sigues prisionero porque estás adiestrado para una esclavitud con visos de libertad.

¡Atrévete a elegir! Ejercita el sentido crítico y no llames prudencia al miedo ni obediencia a la ingenuidad. En una sociedad de siervos, sé libre y liberador.

Realismo vital

Si de verdad quieres ser feliz y crees que aún distas mucho de esa meta, lo más seguro es que te hace falta cambiar el concepto que tienes de felicidad. Ojalá aceptes que la felicidad no es la meta de la vida y mucho menos cuando se identifica con la ausencia de problemas.

El sistema consumista vende una falsa idea de la felicidad y del éxito, unidos a lo cómodo, lo externo, lo fácil y lo material. Por eso abundan los frustrados y los deprimidos, cansados de perseguir un sueño inalcanzable y además dañino.

El ideal de la vida no es ser felices a toda costa; el ideal es ser conscientes y en tener la paz interior como meta. Pobre de quien aún cree que ser feliz es no tener problemas ni conflictos y que felicidad es estar en el mundo como dentro de un gran útero protector.

Si todavía estás en esa etapa, aterriza antes de estrellarte, despierta, aléjate del mundanal ruido y concéntrate en lo esencial y lo elemental. Deja de perseguir una felicidad abstracta y dedícate a amar, a servir y a ser libre. La felicidad no es una estación de ensueño, sino una forma de viajar.

Un verdadero milagro

*D*icen que hay que creer en los milagros pero no depender de ellos. En efecto, una actitud milagrera causa estragos. Depender de los milagros te lleva a esperar todo de Dios y a esperar magia de tus rezos y tus devociones. Con una fe indebidamente centrada en los milagros esperas magia y crees que para solucionar los problemas basta con orar.

La verdad es que Dios no nos da lo que nosotros mismos podemos alcanzar, para así no apadrinar nuestra desidia. Y un santo llamado Agustín entendió bien esto cuando dijo:

"Ora como si todo dependiera de Dios, pero trabaja como si todo dependiera de ti".

Comprométete, pues, con toda el alma en tus empresas, da lo mejor de ti, persevera y apasiónate por tus ideales. Recuerda que el verdadero milagro no es cuando Dios hace lo que tú le pides, sino cuando tú haces lo que Dios quiere. Anímate a servir y a iluminar, sabiendo que todo lo que haces con fe y con amor es ya un gran milagro.

Edad y felicidad

*B*ernard Shaw escribió Fábulas improbables a los 92 años de edad. A sus 94 años, Bertrand Russell participaba en movimientos pacifistas. A los 89, Albert Schweitzer dirigía su hospital para los pobres en una inhóspita región africana.

Johan Goethe terminó de escribir Fausto a sus 83 años. A los 88, la modista Coco Chanel dirigía su empresa. El genial pintor Picasso estaba en plena actividad a los 80 años.

Adenauer fue Canciller de Alemania a los 87. El Papa de la bondad, Juan XXIII, rejuveneció y renovó a la Iglesia Católica a la edad de 87 años.

Un viejo entusiasta y positivo no tiene espíritu de joven, sino buen espíritu de viejo. No hagamos de la juventud un mito. Ella no tiene la excusividad de lo bueno. Cada edad tiene su tesoro y su carga de dificultades.

Ser viejo no es un problema, lo grave está en no saber envejecer con donaire, alegría, paz y entusiasmo. Irradia bondad, amor y serenidad, y serás un viejo feliz.

Menos ego y más desapego

*L*as cosas materiales que necesitas para ser feliz son pocas, aunque la sociedad de consumo proclame lo contrario. Ricos y pobres nos dejamos seducir por los anuncios y, cuando menos lo pensamos, vivimos estresados por necesidades innecesarias.

Siente hoy alegría por un sol que te da vida, por el agua, por el viento, por los árboles y las estrellas. Valora el amor de los seres queridos, el apoyo de los amigos y la cercanía con aquellos que te aman de verdad.

Reconoce que eres un ser bendito por tener buena salud y poder ver, oír, pensar, sentir, crear, servir y caminar. Tu paz interior no debe depender de una camisa de marca o de un objeto de moda, sino de una conciencia tranquila y de una vida centrada en Dios.

Crece en desapego y esmérate por ser, no por tener; por servir, no por figurar; por ser libre, no por poseer. Descubre la grandeza de lo pequeño y el valor de lo esencial. Recuerda que eres feliz con menos ego y más desapego. Ámate y ama.

¡Libre!

$\mathcal{H}$ ay una bella canción de Nino Bravo que nunca pierde vigencia, titulada Libre y que dice: "Libre como el sol cuando amanece, yo soy libre. Como el mar. Libre, como el ave que escapó de su prisión y puede al fin volar".

Libre en el amor y libre en la verdad, libre ante el tener y libre también en la amistad. Sin ataduras que me impidan crecer o caminar, sin las cadenas del odio que no me dejan avanzar. Libre del rencor y libre mucho más de la venganza, libre como el viento que viaja y viaja y no se cansa. Libre de apegos y torpes vanidades, ajeno a las cadenas, me impulsan los gozos y no me detienen las penas.

Nací para que nada ni nadie me esclavice, dejando atrás los temores y las culpas, dispuesto a crecer y a madurar. Más que las murallas me gustan los puentes; aprecio el cambio y antes que las cosas valoro a la gente. Con el poeta canto dulcemente:

"Soy el dueño de mí mismo y no me gusta la gente que empeña su corazón y que hipoteca su frente". Carlos Castro Saavedra.

El poder de una frase

*L*as palabras son poderosas y ojalá seamos conscientes del bien y del mal que con ellas provocamos. Beatriz, una fantástica mujer que irradia confianza y optimismo, me lo recordó al contarme esta anécdota:

"Cuando yo era una inquieta adolescente, uno de mis profesores se me acercó un día y me dio este sabio consejo: No acumules tragos amargos en tu alma".

Beatriz recuerda muy pocas cosas de las que ese educador le enseñó, pero esa frase aún resuena en su corazón. ¡Ah, cuántas buenas semillas podemos sembrar en los demás si elegimos hablar con amor y con un profundo respeto!

La materia que dictaba ese profesor no eran los valores, pero él era bien consciente de que eso es lo único que vale la pena transmitir.

No acumular tragos amargos en el alma es vivir la magia del perdón, es desterrar las culpas y el rencor. Es perdonarnos y perdonar: un regalo de amor que nos da aceptación, nos brinda paz interior y nos ayuda a ser felices.

Ante los DEMÁS

La vida es un milagro que merece un
compromiso constante.
El compromiso de amar sin medida, de servir
con desinterés y de pasar por la Tierra
haciendo el bien.
Amar al prójimo significa querer al que está
próximo y aproximarnos al que está lejano,
al que piensa diferente.
Amar es salir del laberinto del ego y conjugar
con un Tú verbos como dar y darse, aceptarse
y aceptar, valorarse y valorar.

Gonzalo Gallo González

PARTE II

Comprensión

*H*oy tomo una de las mejores decisiones en mi vida: Hoy decido ser respetuoso con los demás.

Elijo crecer en tolerancia y aceptar a los demás como son, sin pretender modelarlos según mi conveniencia.

En la aceptación serena de los otros tengo la clave de una convivencia armoniosa y enriquecedora.

Sólo con un amor comprensivo y sin imposiciones puedo influir en los que amo para que mejoren.

Sólo con un amor comprensivo puedo dialogar, trabajar en equipo y cosechar buenos frutos.

Sí, hoy decido amar con libertad sin querer que los demás piensen o vivan como yo.

Voy a vivir más y mejor, convencido de que es con diversidad y no con uniformidad como se llega al entendimiento. Así como el pintor valora todos los colores y el músico todas las notas.

Hoy tomo la decisión de respetar sin imposiciones y de comprender sin manipulaciones. Lo quiero, y así será. ¡Ayúdame, Señor!

Qué es amar

*A*marnos los unos a los otros significa comprendernos y, por lo mismo, ser tolerantes con fallas que sólo el amor puede eliminar o disminuir. Amarnos es estar abiertos al diálogo para que una buena comunicación estreche los lazos de la unidad.

Amarnos es fomentar el respeto, es decir, aceptar las diferencias y valorar al otro aunque piense distinto. Amarnos es servir con alegría y ser solidarios con generosidad. El amor se muestra en el compartir y el apoyo mutuo. Nos amamos cuando somos amigos de la verdad sin que el engaño corroa las relaciones.

Hay amor donde brilla la sinceridad. Nos amamos cuando aprendemos a darnos y a dar, y así derrotamos el egoísmo. Ama desinteresadamente quien se da a sí mismo.

Amarnos los unos a los otros sólo es posible cuando amamos a Dios y su presencia ilumina nuestra vida. Sin Dios el amor se extingue.

Amarnos los unos a los otros es el camino para acabar con el odio y la injusticia.

Maestría en el vivir

*D*ichoso el que se acepta a sí mismo y acepta a los demás, sin beber las aguas turbias de la envidia.

Dichoso el que trabaja con lo bueno que hay en todos los seres, sin amargarse la vida por los errores propios o ajenos.

Dichoso el que evita compararse con los demás, y sabe equilibrar la suavidad con la firmeza.

Dichoso el que es enemigo del chisme y amigo de la verdad, el que es tolerante y comprensivo.

Dichoso el que no viaja al ayer con rencor ni al futuro con angustia, sino que vive el hoy con entusiasmo.

Dichoso el que tiene a Dios como amigo y a todos como hermanos, amando igualmente a la naturaleza y a toda forma de vida.

Dichoso el que dedica tiempo a los seres amados y pone su hogar antes que el trabajo y las riquezas.

Dichoso el que actúa con ética y sabe elegir lo mejor sin lastimarse ni lastimar. ¡Quienes conocen esos goces son maestros en el Arte de Vivir!

El amor es paciente

Conservo la calma siempre que en mis actos brilla la paciencia. Es una virtud que me da paz. Ser paciente supone aceptar la realidad para poder cambiarla en cuanto se pueda. Ser paciente supone cambiar mi "programación mental", que es la que genera los problemas.

¿Qué me gano con pretender que las cosas sean de otra manera, si en realidad son como son? Ser paciente implica aceptarme a mí mismo, quererme, no andar dividido y estar en paz conmigo mismo. La virtud de la paciencia me ayuda a aceptar a los demás como son.

El amor es paciente. Con la bondad puedo ayudar a los demás a progresar, pero jamás con juicios ni rechazos. Sin paciencia no hay convivencia. Dios, que es amor paciente, me llama a saber soportar, tolerar y comprender.

El amor te regala satisfacciones y alegrías profundas. Te impulsa hacia adelante por el sendero de la unidad, pues te une a Dios y a los demás como agente del bien. El amor te ayuda a perdonar y olvidar las ofensas y hace de tu hogar un oasis de paz.

La enfermedad del desamor

M Madre Teresa de Calcuta solía repetir que la mayor enfermedad del siglo XX no era el cáncer sino la falta de amor. San Vicente de Paúl también decía que hacía falta mucho amor para que los pobres pudieran recibir la comida que se les daba. Amor, afecto, ternura, entrega, dedicación y cariño, esos son los dones que los demás nos piden cuando sólo damos cosas o dinero.

Por eso hay pobres en la familias ricas o de clase media: no piden pan sino afecto, no piden ropa sino ternura, no piden techo sino perdón. De hecho, todos somos mendigos de afecto en esta sociedad del tener, del poder, del aparecer y de las carreras.

La soledad nos está matando porque nos cuesta organizar el tiempo con base en buenas prioridades. ¿No es esa la más grande pesadilla moderna? Sí, una soledad que destaca sobre todo en las miradas suplicantes de los niños. Niños con padres adictos al trabajo y jóvenes cuyo única compañía es la música, la televisión y la calle. ¡Acabemos con la enfermedad del desamor!

Trabajar con amor

*D*amos excelente fruto con nuestros talentos y forjamos un mundo mejor al poner el corazón en lo que hacemos. El trabajo no es un castigo ni un tormento, si lo hacemos con el ansia de servir y generar progreso.

Por eso conviene crear un clima laboral grato, basado en el respeto, la confianza y la colaboración. Aún el trabajo más fatigoso se hace llevadero donde hay amistad, estímulo, justicia y afabilidad. Entonces se cumple lo que decía Carlyle: "El trabajo es la mejor medicina para las desgracias que abruman a la humanidad".

La recompensa más valiosa de una labor, no está tanto en el dinero ganado cuanto en el placer de servir. Una recompensa que va unida al gozo de tener otra familia en el sitio de trabajo, si se labora con amor. Algo que se logra venciendo el egoísmo, desterrando las intrigas y tratando a los demás como queremos ser tratados.

Trabajo con entusiasmo si veo mi labor como un servicio y no sólo como un medio para ganar dinero. Necesito poner el corazón en lo que hago para que mi trabajo se convierta en bendición.

Revaluemos nuestras relaciones

Con relativa frecuencia deberíamos sentarnos a analizar, con toda honestidad, qué tipo de cuidados le damos a nuestras relaciones. Necesitamos conjurar la rutina, romper esquemas y hacer en vida ese sincero examen que sólo hacemos ante la muerte.

Sólo un cuidado preventivo puede evitar que nuestras relaciones entren a cuidados intensivos o a la funeraria. ¿Dónde están los detalles románticos? ¿Por qué escasean tanto las locuras sanas, las salidas oportunas y las buenas aventuras? ¿Cuántas veces al día somos capaces de decir "te quiero" sin tener que recurrir a las palabras?

Y las preguntas –es sabio hacerse preguntas– podrían continuar: ¿Sabemos perdonar? ¿Hemos crecido en aceptación y en tolerancia? Nos hace falta detenernos, cuestionarnos y comprometernos a mejorar la calidad de nuestras relaciones.

Es muy doloroso rescatar el amor sólo ante una grave enfermedad, un accidente o una tragedia. Pero más doloroso aún es dar salida a un cariño represado cuando ya es tarde: ante el cadáver del ser querido. Hay que amar en vida. Sólo existe el hoy.

Saber callar

*S*e cuenta que Darío, rey de Persia, confesaba al final de su vida: "Pocas veces me he arrepentido de haber callado, y en cambio me he arrepentido muchas veces de decir lo que no debiera haber dicho". Anécdota muy oportuna para meditar en las ventajas de la prudencia y los estragos que causa la ligereza al hablar.

Muchas veces callar es un excelente modo de amar. Un silencio cauteloso nos libra de juicios temerarios, impertinencias y sandeces. Razón tenía el escritor ruso Dostoievsky al decir que "el silencio es siempre hermoso y el hombre que calla es más admirable que el hombre que habla".

Saber callar es un don inestimable y una muestra de esa sabiduría que alcanzan los seres equilibrados. En la Biblia encontramos altos elogios del silencio y allí se afirma que "en el mucho hablar no faltará el pecado". Pidamos pues a Dios la gracia de no hacer daño con las palabras, de ser prudentes y amantes del silencio. Así, no sólo evitamos lastimar a otros con la lengua, sino que aprendemos a orar mejor.

Dios se deja hallar en el silencio.

No juzgar

*H*acer el propósito de no juzgar por una o más horas cada día, es un medio excelente en la procura de la paz espiritual.

No se trata de acallar para siempre la capacidad crítica porque eso sería naufragar sin remedio en el océano de la ingenuidad.

Se trata de crecer en comprensión y en bondad, y huir de la crítica permanente que envenena a los inconformes y los envidiosos.

La decisión de no juzgar trae paz, alegría y una benéfica sensación de júbilo interior. Si te lo propones verás que eres capaz de mirar la realidad con una actitud limpia, apacible y desapasionada. Evitas las discusiones, te interesas por entender a los demás y aceptas lo que no se puede cambiar.

Inténtalo y estarás más cerca de la paz y de la felicidad. Al desterrar el juicio exiliarás también el descontento y el pesimismo.

Toma la decisión de no juzgar, no para ver claro lo que es oscuro o ser cómplice del mal, sino para disfrutar espacios de paz y de bondad.
¡Animo! Apuéstale a la magnanimidad y vacúnate contra la mezquindad.

Quien ama no juzga

*H*oy me propuse no juzgar a nadie y, al anochecer, cuando el cielo se cubrió de sombras, mi alma se llenó de luz. Sentí mi espíritu ligero, sin el peso de la condena. Pude acoger a todos con bondad y mirarlos con misericordia.

Entendí sus razones, sentí dolor por sus debilidades, me identifiqué con sus circunstancias. En suma, supe comprender. Vi de un modo diáfano que nadie es malo, que todos somos una mixtura de luz y de sombra, de grandeza y de pequeñez.

Sin una bondad ingenua vi que hay cosas por cambiar. Pero ese cambio se dará con mi apoyo, no con mis juicios.

Hoy no fui juez de mis hermanos sino su amigo y su salvador. Hoy me vi a mí mismo en los demás: capaz de sublimes heroísmos y de las peores bajezas.

Hoy mis manos no se extendieron para señalar sino para levantar; hoy mis ojos miraron con dulzura, no con severidad. Hoy estoy feliz porque dejé de juzgar para poder amar.

Muros y puentes

*E*n una entrevista que leí recientemente, publicada en un conocido diario, el entrevistador demostró gran predilección por la letra "O", y parecía ser más bien excluyente con respecto a la letra "Y". Casi al comienzo de la entrevista formuló tres preguntas en las que el entrevistado se veía frente al dilema de escoger entre una cosa u otra. El invitado, un escritor, eludió hábilmente la trampa y optó por respuestas amplias e incluyentes:

- ¿Qué le atrae más: la luz o la sombra?
- La luz, la sombra y la medialuz. Cada una tiene su momento y su encanto.

¿Por qué somos tan excluyentes con la "O" en lugar de abrirnos a la tolerancia con la "Y"? De algún modo nos asedia por doquier un maniqueismo perverso según el cual clasificamos todo como malo o como bueno. En lugar de elegir entre el bolero o la música clásica, la carne o el pescado, la lectura o la televisión, el fútbol o el basket, deberíamos estar abiertos a todo lo bueno. Sin caer en una aburrida medianía ni en un relativismo ambiguo, ojalá decidamos unir en lugar de dividir y conciliar en lugar de enfrentar. Construyamos puentes con la "Y" en lugar de levantar muros con la "O".

Como un solo hombre

C iento cuarenta y dos interminables días estuvieron a la deriva cinco pescadores costarricenses en un estropeado barco en 1988. Impusieron una marca mundial al sobrevivir casi cinco meses con agua lluvia, pescado y tortugas, venciendo malestares, tempestades, ataques de tiburones y el desaliento mismo.

¿Qué les ayudó a mantener viva la esperanza en un vetusto pesquero que estuvo a punto de zozobrar? Uno de ellos declaró el secreto de su milagro: "Lo compartimos todo: la comida, la bebida, el achicamiento, la pesca, la vigilia. Lo que nos permitió sobrevivir fue estar unidos, compartir como si fuéramos un solo hombre".

Después de su primera noche en el barco que los rescató, un marino los vio arrodillados al amanecer, dando gracias a Dios. El apoyo mutuo y la fraternidad son siempre áncora de salvación en el peligro. Unidos logramos superar los obstáculos, con la fuerza de la fe y el amor. La unión acaba con el egoísmo, y acaba también con las dificultades y el desespero.

Trabajo en equipo

$\mathcal{T}$ rabajar en equipo es una necesidad si se quiere eficiencia y se buscan óptimos frutos. El deporte es un claro ejemplo de lo que llaman "team work".

Una escuadra logra victorias al aunar el esfuerzo y los talentos de jugadores, entrenador y colaboradores. Los expertos critican siempre al jugador egoísta, que acaba por fracasar, aunque sea habilidoso.

Sólo triunfa quien se adapta a los demás y pone sus dones al servicio de un bien común. El trabajo en equipo es la clave para enriquecernos mutuamente sin una mezquina egolatría. En la vida, en el hogar, y en el trabajo, anotas goles si eres altruista, y ves la tarjeta roja cuando eres individualista.

Dedícate a sobresalir en el juego de la vida con actitudes de generosidad y colaboración. Cuando compartes eres el primer beneficiado, ya que quien sabe dar recibe más de lo que ofrece.

7 reglas para dialogar

*S*aber dialogar es uno de los mejores regalos que puedes brindar a los otros y que te puedes dar a ti mismo. Cuando sabes escuchar mejoras tus comunicaciones, y cuando mejoras tus comunicaciones mejoras tus relaciones.
Aprender a dialogar requiere, entre otras cosas:

1. Cancelar el egoísmo y cultivar un sincero altruismo que te mueva a valorar a los otros con una actitud dialógica.
2. Estar siempre abierto a los demás con la receptividad del aprendiz y sin las ínfulas del soberbio.
3. Interesarte genuinamente por los que piensan diferente y te ayudan a ver lo que tú no puedes o no quieres ver.
4. Crecer más y más en tolerancia y exorcizar males como el fanatismo, la discriminación y el irrespeto.
5. Prestar atención a quien te habla de modo que captes no sólo sus palabras sino todos sus gestos y emociones.
6. Asimilar las ideas ajenas con una comprensión que nos permite ponernos en el lugar del otro para entenderlo.
7. Dialogar en un clima de amor, serenidad y sencillez bajo la guía del mejor Maestro: Dios.

El arte de escuchar

*E*l arte de escuchar es en buena medida el arte de comprender y el arte de respetar.

En efecto, quien mejor escucha es aquel que, sin egoísmo, sabe ponerse en lugar de los demás.

Así logra entender las razones de los otros y ve las cosas desde otra perspectiva.

Escuchar es también actuar con un respeto que lleva a aceptar y valorar a quienes piensan diferente.

Entonces crecemos en pluralismo, afianzamos la tolerancia y nos abrimos gozosos a la riqueza de la variedad.

Somos como el buen músico que escucha toda clase de ritmos y se alegra de que haya tantas melodías diferentes.

El arte de escuchar es un arte vedado para los egoístas y los soberbios que no saben vivir.

Pero es una vivencia diaria para quienes saben amar y cuidan sus relaciones con una buena comunicación.

Escucha tu propia voz interior, escucha a Dios y podrás escuchar a los demás.

Por una educación inteligente

*A*lbert Einstein, considerado como uno de los más grandes genios de la humanidad, no aprobó los exámenes de admisión en el Politécnico de Zurich. Influyó en esto su aversión a la educación rígida que había recibido en Alemania. Una formación autoritaria e inflexible no provoca amor, sino odio. La disciplina es necesaria, pero no tiene por qué ser contraria a la educación, la alegría, la libertad y el juego mismo.

Necesitamos una educación que enseñe a vivir. Que sea integral, centrada en la unidad del ser humano; positiva, basada en valores más que en prohibiciones, y en convicciones más que en normas. Una educación personalizada, que busque la unidad en la diversidad y que valore la individualidad. Una educación abierta a lo trascendente, basada en el amor a Dios y a los demás. Y, por último, que sea realmente liberadora: ajena a dependencias frustrantes, amiga del sentido crítico y de la libertad responsable.

Propiciemos, pues, una educación centrada en valores, no en datos. Eduquemos para convivir, no para competir.

Convivencia

El perdón SANA

En La fuerza de creer, un libro que vale la pena leer, el sicólogo Wayne Dyer cuenta cómo mejoró su vida al perdonar a su padre. Es un testimonio impactante porque cuando Wayne decidió buscar a su padre, éste ya estaba muerto. Fue entonces hasta su tumba y en un primer momento le habló, descargando una rabia contenida y tantas quejas represadas.

Luego, como él mismo lo narra, sintió una profunda compasión por ese papá irresponsable y descuidado. Aunque no podia estar con él, se puso en su lugar, pensó en el amor que su propio padre no recibió de niño y no pudo dar como adulto. Poco a poco su rabia cedió el lugar al amor compasivo y, de pronto, se sintió libre, perdonando de corazón las fallas de ese pobre papá.

Espero de todo corazón que algún lector o lectora medite este testimonio y se abra a la acción sanadora del perdón, muy unido a Dios. Sólo podemos ser felices cuando el rencor no nos paraliza. Sólo podemos disfrutar el hoy si dejamos de amargarnos por el ayer. El perdón sincero nos llena de paz y libertad.

Tres claves para perdonar

*S*i quieres estar en armonía contigo mismo, con Dios y con los demás, necesitas perdonarte y perdonar de corazón. El perdón sana, el perdón libera, el perdón da vida. No puedes ser feliz si permites que la culpa te frene o el odio te consuma.

Ante todo debes ser bueno contigo mismo, reconocer tus fallas, aprender de ellas y dejar de culparte con saña. No es fácil perdonarse a sí mismo, pero con práctica y decisión lo puedes lograr en un proceso que toma su tiempo. Decisión, proceso y práctica son tres palabras bien importantes, útiles para alcanzar cualquier meta, y particularmente necesarias para poder avanzar en el camino del perdón sincero.

Sólo perdonas si decides hacerlo, sólo perdonas si te ejercitas a diario y sólo perdonas si aceptas procesos. Para perdonar a los otros necesitas humildad, flexibilidad, comprensión y mucha tolerancia. Ojalá decidas perdonarte y perdonar porque el rencor y la culpa son ya el infierno en la tierra. Elige traer el cielo a tu alma ahora mismo.

Qué no es perdonar

*U*n esposo irresponsable, bebedor y mujeriego, le recalcaba a su esposa que debía perdonarlo y quererlo de nuevo. Ella, muy calmada y decidida, le dijo que estaba perdonado, que entendía sus fallas y que se iba a separar. El marido prometió ser un ángel de luz y preguntó qué clase de perdón era ése, con separación incluida.

Pues bien, aunque a muchos les suene extraño, perdonar no implica convivir con alguien que nos maltrata y nos hace daño, y mucho menos implica que debemos quererlo. Perdonar es no guardar odio, no tener rencor, no desear el mal, borrar poco a poco la rabia y aprender a recordar en paz. Pero perdonar no es actuar como un tonto, perdonar no es ser candorosos, perdonar no es rebajarse hasta el masoquismo.

Perdonar es desearle bien a quien nos hizo mal. Perdonar es ayudar al otro, en la medida de lo posible. Perdonar es orar por él. Pero perdonar no es querer a quien nos acaba, ni tolerar injusticias, ni actuar como víctimas ingenuas.

Testimonio de amistad

*D*eseo intensamente que el siguiente testimonio de amistad nos mueva a todos a valorar en su justa medida el valor de un amigo honesto y leal. En tiempos del tirano griego Dionisios, fue condenado a muerte el filósofo pitagórico Fincias por ser un fuerte crítico del régimen despótico. Fincias logró convencer Dionisios de que le diera permiso para ir a su casa, en las afueras de la ciudad, a organizar sus asuntos. El permiso le fue concedido cuando él aseguró que su mejor amigo, llamado Damón, se quedaría como rehén y arriesgaría su vida por él.

Así se hizo y Fincias salió de la prisión y se ausentó de la ciudad mientras Damón ocupaba su lugar en el calabozo. Dionisios, a pesar de ser un tirano, se interesó en el caso y se conmovió cuando Damón llegó puntual a la cárcel y cuando Fincias regresó cumplidamente después de efectuar sus diligencias.

En lugar de reafirmar la orden de ejecución, Dionisios le perdonó la vida a Fincias y felicitó a Damon por confiar en su amigo y serle fiel. Dice la historia que Dionisios pidió humildemente ser admitido en la amistad de ambos ya que nunca pensó que existieran amistades tan excelsas.

Humildad

*E*l ser humano tiene temor a muchas plagas, pero poco se cuida de una de las peores: El orgullo.

Un vicio que entorpece todo lo bueno y acaba con el amor, la fe, la paz y las relaciones.

No hay ceguera peor que la del orgullo que impide reconocer errores y bloquea todo cambio positivo.

Todo lo opuesto a la sencillez que une, alegra, es amable y distingue a los seres felices y nobles.

Uno lee a todos los sabios y sólo encuentra elogios de la humildad y prevenciones contra la arrogancia.

El evangelio muestra a Jesucristo como un ser enamorado de la sencillez y de los humildes, como se lee en Mateo 11,25.

¡Qué bueno que meditáramos más su mensaje! Hoy como ayer el que se ensalza será humillado y quien se humilla será enaltecido. Lucas 14,7-11

Con razón decía San Agustín: Sólo hay tres caminos para llegar a la verdad: el primero es la humildad, el segundo es la humildad y el tercero es la humildad.

Los caminos de Teo

*L*a antropóloga Catherine Clement tiene récords de ventas en Gran Bretaña, Alemania, Italia, Japón y Corea con su libro El Viaje de Teo. Esta obra nos habla sobre el recorrido incansable de un adolescente a través de 42 concepciones de Dios, captadas en diferentes culturas a lo largo de la historia.

Con este libro, la autora pretende sembrar la tolerancia entre los seres humanos, sean o no creyentes. Según confesó en una entrevista, "ninguna religión ha escapado a la tentación de la intolerancia".

¡Cuánta verdad hay en esa afirmación! Lo que más escasea en las religiones es lo que más debería brillar: el respeto. Se supone que los creyentes viven para amar y uno se pregunta de qué amor hablan cuando se creen dueños de la salvación y de la verdad. Como dice la Dra. Catherine: "El verdadero problema de una religión comienza en el momento en que se vuelve autoritaria. Entonces los seguidores buscan a toda costa convertir a los demás y ahí está el peligro. De ahí al fanatismo no hay más que un paso". Ojalá entendamos que Dios sólo está donde hay tolerancia.

Las 5 D del amor

Entrelazar los cinco dedos es un signo de amor.
Manos que simbolizan corazones y almas unidas.
Ojalá cada dedo represente: diálogo, detalles, Dios,
decisión y dedicación. Cinco vivencias para un
amor duradero.

Dialogar, no di-alegar, es la clave para hallar
soluciones. Nos pide saber escuchar y ceder.
Los detalles nunca son pequeños. Con ellos nace el
amor, y sin ellos el cariño se marchita. Ellos son los
que avivan una relación.

Dios es amor y cuando El une no hay quien separe.
Su presencia ilumina, fortalece y reanima. Amar es
una decisión de luchar en las adversidades, pues
ellas nos fortalecen. La campana sólo da buen
timbre cuando ha pasado por el fuego.

Amar es un arte que exige consagración, tiempo,
esfuerzo. Dedicarse a amar es concentrarse en darse
y dar con perseverancia y paciencia. Mejoremos
con las 5 D: con ellas el amor es un don continuo,
una delicia. Sin ellas la vida pierde su belleza y su
razón de ser.

De corazón a corazón

*T*res consejos para el noviazgo son: conocerse muy bien, ahondar la relación y ser realistas. Conocerse bien pide mucho diálogo profundo y una atenta observación del ambiente familiar de la otra persona. Sabes cómo es alguien si conoces bien cómo trata a sus familiares, amigos y conocidos. Hay personas que, sabiendo esto, siguen ciegamente enamoradas de seres egoístas e inmaduros. Engañándose pensando que "va a cambiar" se casan y abren los ojos cuando es muy tarde. Entonces aprenden con dolor que el amor real pide conocimiento profundo. Y también pide dejar de soñar con relaciones mágicas carentes de conflicto. El amor es real, no ideal.

Para ahondar en una relación, se requiere un diálogo de sentimientos que construya una relación de corazón a corazón, y no sólo de piel con piel. Hay que quitarse las máscaras, mostrándonos como somos, sin camuflar fallas ni ocultar vacíos. Ponerle raíces a una relación pide centrarla en valores, más que en emociones o en gustos. Ahondar en una relación es, sobre todo, alimentarla espiritualmente. Sin espíritu, toda relación vive de dulces ilusiones. Sin cultivo espiritual y sin valores, el "amor" es un río seco; es una casa levantada sobre arena.

El arte de amar

€l amor es difícil. "El amor es el testimonio supremo de nosotros mismos, la obra cumbre ante la cual los demás pasos son meros preparativos. Por eso los jóvenes no saben todavía amar. Necesitan aprender a amar con todas las fuerzas de su ser.

El aprendizaje es lento. El amor no es darse, unirse a otra persona desde el primer momento. ¿Qué unión sería la de dos seres aún indefinidos, inacabados, dependientes?

El amor es una ocasión única para madurar. Es una exigencia superior a la de trabajar en la propia realización. Sin madurez no tiene sentido llegar a la unión total, a perderse el uno en el otro. Antes de llegar a esto hay que atesorar durante largo tiempo, de modo que la entrega de sí mismo sea la culminación de un proceso". Rainer María Rilke.

Palabras inspiradas para los que "hacen el amor" sin amor, y no saben diferenciar el afecto sincero del puro instinto y la pasión.

Dos mitos en el amor

C ontrario a lo que muchas parejas creen todavía, el amor no es posesivo. Si alguien te ama no te recorta las alas sino que te impulsa a volar. Los egoístas, en cambio, convierten en bonsai a quienes juran amar. Manipulan con un querer camuflado de afecto. Ámate y no alimentes dependencias alienantes. Valórate y nadie segará tus raíces impidiéndote crecer y dar lo mejor de ti.

También es falso aquello de que el amor es ciego. Engaño de aquellos que confunden el amar y el querer. La que es ciega es la pasión, la fuerza desbordada de un ímpetu sexual sin cariño y sin valores. Ciego es también el capricho del enamorado que ve las faltas pero se cree alquimista y dice: "Yo haré que cambie". Craso error que suele llevar a relaciones frustrantes y penosas. Para amar conserva la cabeza; piensa y actúa. Recuerda que enamorar es fácil pero amar es difícil. El verdadero amor tiene los ojos muy abiertos.

El amor se conoce porque va más allá del puro sentimiento, hasta llegar al compromiso. Amar es una decisión de compartir con el otro alegrías y pesares, triunfos y derrotas, a pesar de las dificultades. Sólo los que se dedican a amar practican bien el arte de vivir.

Paternidad responsable

*S*i en algún acto el ser humano es inhumano hasta el extremo, es en la paternidad irresponsable. Muchos tienen hijos con una frescura impresionante, como si fuera un juego o un capricho. Con la misma facilidad que engendran, incumplen sus deberes paternos y hacen sufrir a niños inocentes.

Los irreflexivos sobrios y hasta ebrios, tienen relaciones sexuales como si fueran sólo una diversión. No apuntan a la cabeza con un arma cargada, pero sí juegan con la vida cuando llevan una sexualidad irresponsable.

Por eso hay tantos niños que no tienen un padre conocido y tantos que casi sería mejor que no lo conocieran, ya que muchos padres sólo se contentan con engendrar y dar dinero. Ser papá o mamá es un serio compromiso que hay que cumplir con amor. Una misión divina que exige madurez y estabilidad. En lugar de decir: "No me quedo sin tener un hijo, sea como sea", piensa que Dios te pedirá cuentas de cómo usas o abusas de tu libertad.

Amame sin temor

Sin auténtica libertad el amor es un egoísmo disfrazado. El amor libera y abre caminos; el amor construye puentes en lugar de levantar murallas. Amar a alguien es respetarlo en su intimidad y animarlo a realizar toda su potencialidad.

El amor brilla donde una libertad responsable aleja los temores, borra los celos y crea una atmósfera de confianza. El pensador Dick Sutplen nos ayuda a comprender cómo el amor se hace fuerte con la libertad y el respeto, cuando escribe: "Amame sin temor. Confía en mí sin presionarme; cuenta conmigo sin manipularme. Quiéreme sin restricciones, deséame sin inhibiciones. Acéptame sin dominarme. Amame con libertad porque sólo un amor libre nunca morirá".

La autovaloración da seguridad y permite amar sin cadenas en un clima de respeto y de mutua aceptación. Ahí está el amor que trae felicidad: en la aceptación de sí mismo y de los otros, sin dominación y sin posesividad. ¡Lástima que algunos llamen amor a relaciones egoístas y condenadas al fracaso por la manipulación, los celos y la dependencia!

El nuevo rol de la mujer

*S*oy un decidido defensor del cambio de la mujer, de su liderazgo y de su nuevo papel en la sociedad. No niego que la revolución de las mujeres se ha hecho con errores y excesos, pero el balance general es positivo. Los que aún no hemos despertado somos los hombres y muchos aún se ven como reyes sobre un trono invadido por el comején.

Hombres y mujeres tenemos en el nuevo milenio un gran reto: construir unas nuevas relaciones en un clima de armonía y colaboración. Nuestras relaciones se deben centrar no en la búsqueda de poder sino en el amor, el respeto y la valoración.

Somos herederos de un pasado lleno de desigualdades y por eso nos cuesta tanto asumir nuevos roles. No obstante, ya se vislumbran claramente nuevas formas de relación hombre-mujer y podemos soñar con una vida de pareja totalmente distinta. Una relación en la que ni el trabajo ni las obligaciones menoscaban el amor, y en la que cada uno valora al otro por lo que es, en un permanente crecimiento mutuo.

Diálogo y no discusión

*H*ay relaciones que se vuelven cenizas en la hoguera de pleitos sin sentido. La discusión es huracán que arrasa con una relación, y por lo general quien más grita es el que menos tiene la razón. Cuando intuyas que se gesta un altercado, retírate a tiempo, porque ya iniciado es difícil controlarse.

El gran pensador judío Martin Buber nos enseña que nace un "nosotros" cuando un "yo" y un "tú" crean un diálogo amoroso. En la relación de pareja casi todo depende de la comunicación y es necesario aprender a dialogar. Una regla elemental es cambiar las quejas y las censuras por las exhortaciones. Nada se logra con un vocabulario hiriente.

Siempre es posible solicitar algo en forma positiva o manifestar descontento sin ofender. En lugar de decir: "¿Por qué nunca tienes tiempo para mí?", se puede afirmar con serena convicción: "¿Sabes, amor? me gustaría que pasáramos más tiempo juntos los fines de semana".

Amor profundo

A demás de conocerse bien, lo mejor que pueden hacer los novios y las parejas es ahondar su relación, lo cual pide:

1. Llegar a un diálogo de sentimientos que construya una relación "cordial", de corazón a corazón, y no sólo de piel con piel.

2. Quitarse las máscaras, mostrarse como uno es y no camuflar las fallas ni ocultar los vacíos.

3. Ahondar una relación es, sobre todo, alimentarla espiritualmente. En efecto, sin espíritu toda relación vive de dulces ilusiones.

4. Y ponerle raíces a una relación, pide también centrarla en valores y no en emociones, en gustos o en puro romance.

Uno se pregunta cuántas parejas aprovechan el noviazgo y el matrimonio para ponerle bases firmes a su relación, así como se hace con un edificio. No, lo común es que malgasten tiempo y energías en lo superfluo. Después, claró está, llegan las lágrimas.

Y vale la pena insistir en los puntos 3 y 4 ya que sin cultivo espiritual y sin valores el "amor" es un río seco; es una casa levantada sobre arena.

...y fueron muy felices

Se casaron y fueron muy felices", es un ideal romántico de los cuentos que acaso engaña a los ilusos. El soñador tiende a confundir felicidad con ausencia de dificultades. Quiere degustar buen vino sin exprimir las uvas.

No es sano avinagrar el amor con el masoquismo o el sadismo, como si amor fuera siempre sinónimo de cruz. Pero tampoco conviene casarse, fantaseando con una relación libre de crisis o conflictos. Convivir no es un imposible, pero tampoco es fácil; exige esfuerzos, cuesta lágrimas. En toda relación hay altibajos, pero jamás se quedan sólo con cenizas los que avivan la hoguera.

Las plagas o las sequías aparecen y no acaban con el árbol recio, bien abonado y bien cuidado. El amor se prueba en las dificultades. ¡Qué grato es superar crisis! Sin obstáculos, ¿qué queda del alpinismo, del deporte y del arte? Jamás sueñes con un amor exento de problemas.

Educación sexual

"Tuve sexo mil veces pero nunca hice el amor", dice el compositor guatemalteco Ricardo Arjona en su canción La primera vez. Es fácil tener sexo y es difícil amar; es fácil acostarse con alguien, pero exige madurez convivir con alguien.

Un estudio hecho en América Latina por el Centro Latinoamericano de Investigaciones, efectuado con 11.000 adolescentes, muestra que de cada 100, la mitad es sexualmente activa. Sólo un 36% rechaza las relaciones prematrimoniales, y un 50% dice tener buenos conocimientos sobre la sexualidad. Ya sabemos cuán alto es el número de abortos, y cómo aumenta de un modo alarmante el embarazo de adolescentes. Todo esto nos habla de cuán urgente es impartir una educación sexual gradual, integral y centrada en los valores éticos.

Urge una formación en el amor que lleve a la madurez sin caer en el puritanismo ni la permisividad. Muchos padres de familia y educadores deben cambiar de mentalidad para poder educar en la vivencia sana y positiva de la sexualidad. La sexualidad es una dimensión humana que abarca al hombre en todo lo que hace. Sea, pues, bienvenida la educación sexual.

Sexualidad y ética

*H*ay quienes prefieren no hablar de sexualidad; para otros la sexualidad es el centro de sus vidas: son dos extremos viciosos. Cuán necesario es que todos asumamos la sexualidad con una actitud serena, positiva y madura.

Eso implica dejar de reducir el don de la sexualidad a una capacidad exclusivamente procreativa. Hay que verla como una dimensión humanizante que está en todo el hombre y en toda la mujer, sin agotarse en lo genital. Conviene vivirla plenamente en el marco de un amor auténtico, de los valores espirituales y de una libertad responsable. Hay que liberarla de un moralismo puritano, de un hedonismo pernicioso, de enfoques parcializados.

Es el amor el que da sentido a la sexualidad, es la ética la que la humaniza y la hace gratificante. Sin amor y sin ética, la sexualidad se asfixia en el vértigo del egoísmo y la inconsciencia. La sexualidad es un don maravilloso, de una intimidad que pide el más esmerado respeto.

El amor es fruto de la paciencia

*E*l amor no es el fruto de la generación espontánea sino de una siembra y un cultivo pacientes. Una vez, al observar un hombre cómo una mariposa luchaba por salir de su capullo, trató de ayudarla. Fue así como sopló delicadamente para acelerar el proceso que le parecía demasiado lento. En efecto, el calor de su aliento apresuró las cosas, y del capullo salió una criatura con las alas destrozadas que no alcanzó a convertirse en mariposa.

¿Eres consciente del daño que se causa por quemar etapas en el amor, el estudio o el trabajo? Aprende a ser paciente y a esperar. Está bien que evites la indolencia del perezoso, pero sin caer en las premuras del precipitado. Por saborear verdes los frutos, son muchos los que se lastiman y hacen sufrir en la vida y en el amor. Pide a Dios luz para saber cuándo hay que avanzar y cuándo hay que esperar.

Sé esperar al tomar conciencia de que muchas metas sólo se alcanzan en un lento proceso. Soy paciente cuando aplico la enseñanza de Longfellow:

"Todo le llega a quien sabe esperar"

Amor y Hogar

*E*s bueno recordar que si la familia es el fundamento de la sociedad, el amor es el fundamento de la familia. La gran urgencia es darle a nuestra vida de hogar esa importancia que solemos brindarle a aspectos menos trascendentes. Madre Teresa de Calcuta tiene al respecto una reflexión que ojalá nos llegue a todos al corazón, padres e hijos:

"Hay muchos problemas en el mundo de hoy y pienso que gran parte de los mismos tienen su punto de partida en el hogar. El mundo entero sufre tanto porque no hay paz. Y no hay paz en el mundo porque falta paz en las familias. No podemos aumentar el número de miles y miles de hogares desechos. Tenemos que esforzarnos por recuperar la unidad familiar. Tenemos que convertir nuestros hogares en centros de compasión, comprensión y perdón infinito. Entonces volverá a reinar la paz".

Con un amor paciente, con Dios como centro de la familia y abiertos a la ternura, todos podemos hacer del hogar un reino de paz. Con paz en las familias tendremos paz en la sociedad.

Para los papas

*D*iez consejos para educar bien a sus hijos:

1. Con un buen ejemplo inculque valores espirituales y morales. El amor y el buen ejemplo son sus mejores aliados.
2. Establezca reglas claras y precisas con una disciplina iluminada por el amor.
3. Mantenga con ellos una buena comunicación, sin sermones ni cantaletas.
4. Valore sus proyectos e ideas, aprecie sus esfuerzos y edúquelos con una fuerte autoestima.
5. Sea paciente y tolerante con sus errores y enséñeles a aprender de sus fallas y a superar los obstáculos.
6. Quiera de verdad a sus hijos, dedíqueles tiempo y esté disponible cuando ellos lo necesiten.
7. Fomente actividades sanas, recreativas, deportivas y culturales. Comparta con ellos el tiempo libre.
8. Conozca a los amigos de sus hijos y trátelos con respeto. Así podrá enseñarles a saber elegir sus amistades.
9. Ayúdeles a armonizar responsabilidad y libertad, de modo que aprendan a decir NO con un carácter firme.
10. Cultive con ellos una vida espiritual intensa.

Amor y honestidad

*L*a mejor herencia de los padres para sus hijos se resume en dos palabras: amor y honestidad. Cuando esos faros brillan la travesía es segura y no corres nunca el riesgo de naufragar o de perderte.

El amor y la honestidad son pasos seguros en el sendero de la existencia y son también el fundamento de una vida serena y feliz. Son los principios básicos para la convivencia y nunca se deben negociar por fama, poder, dinero o apariencias.

Cuando encarnamos la honestidad somos coherentes porque tomamos consciencia de las consecuencias de nuestros actos. Cuando amamos aprendemos a aceptarnos y a aceptar a los demás con mucha tolerancia y una delicada comprensión.

Amor y honestidad es lo que caracteriza a los verdaderos líderes y es el más valioso legado de los padres para sus hijos. Elige el amor y la honestidad. En esos dos valores está la verdadera religión y con ellos anticipas el cielo en la tierra.

Educar al niño

*B*uen ejemplo, mucho estímulo y un amor que sabe armonizar el cariño con la disciplina, es lo mejor que podemos dar a los niños. En familias llenas de fe, esperanza y amor es donde ellos aprenden a ser personas de bien. Los sicólogos hablan del niño como de una esponja que absorbe todo lo que ve en los adultos, en especial en los padres:

"Un niño es un constante imitador y practica más lo que ve hacer que lo que le dicen. Los niños aprenden del ejemplo. Los niños necesitan dos regalos de sus padres: consistencia y coherencia", afirma la sicóloga Sandra Holguín, experta en temas de familia.

1. Consistencia, es decir, estabilidad y continuidad en las reglas que guían la convivencia familiar. Los niños sólo ganan seguridad y confianza con aquellos padres que sin ser inflexibles, sostienen lo que dicen sin dejarse chantajear por lágrimas o sonrisas.

2. Coherencia, o sea la armonía entre lo que los adultos dicen y lo que hacen. Es inútil pedirle a un niño que no mienta cuando sus padres son falsos. Demos, pues, valores a los niños, practicando nosotros los valores.

Pedagogía del amor

*L*os buenos papás saben regalarle a sus hijos un NO siempre que sea necesario. La pedagogía enseña que se crean más traumas por decir siempre SÍ que por educar con límites. A algunos padres les cuesta demasiado decirle un NO a sus hijos, y demasiado tarde lo lamentarán. Sufren y hacen sufrir aquellos niños cuyos deseos nunca tienen barreras, porque sin disciplina todo es un caos.

No es formativo dar a los hijos todo lo que piden, ni solucionar todos sus problemas. Unos padres pecan por dar cosas sin dar amor, otros por mimar en demasía, y otros por ser padres a distancia. Dar a los hijos lo mejor de lo mejor es darles riqueza espiritual y valores trascendentes.

La luz será más poderosa que la oscuridad si le apostamos todo a la Pedagogía del Amor. Un amor cimentado en la verdad, iluminado por la fe, rico en tolerancia, bondad y comprensión. Un amor que se aprenda en el hogar gracias al poder irresistible del buen ejemplo y el estímulo constante. Necesitamos educación en el amor y amor en la educación.

Hogares llenos de amor

*L*as siguientes son algunas reflexiones de Madre Teresa de Calcuta sobre la vida en familia:

"Los problemas que encontramos en la sociedad siempre se originan en familias desechas y sin amor. Muchos padres y muchas madres están ocupados en sus asuntos y no dedican tiempo a sus hijos. Casi nunca están en casa y los hijos buscan en la calle el cariño, el tiempo y el apoyo que no encuentran en el hogar. Es un hogar apagado que los lanza a los peligros de la calle en donde fácilmente se pierden.

Por eso debemos trabajar para evitar a tiempo pérdidas irreparables y para que los hogares estén llenos de amor. Sin los hijos se pierde la esperanza y hay que procurar que ellos sean acogidos y amados en la familia. Dios está ausente todavía en muchos hogares y sólo con Su presencia podemos comprendernos, aceptarnos y entendernos".

Unión familiar

*C*omo en el caso de tantas personas exitosas, la gran cantante Mercedes Sosa tuvo que vencer muchas dificultades. "Mi niñez –confiesa– estuvo signada por la pobreza. En mi vida supe del hambre y del sufrimiento, pero lo único que nos salvó de la miseria fue la unidad inquebrantable de la familia".

Se educa más con los hechos que con las palabras. Los padres logran maravillas cuando tienen paciencia para sembrar, mediante el ejemplo, valores y sanos principios. Que el hogar sea un oasis, aún con las dificultades normales. Que no sea la "familia hotel" para comer y dormir con extraños bajo el mismo techo por ausencia de diálogo. Que no sea la "familia cuartel" donde se es inflexible con las reglas y reina el autoritarismo. Con dulzura, respeto y comprensión, padres e hijos pueden tener el mejor tesoro: una familia unida.

"Muchos de los sufrimientos que hay en el mundo provienen de la desunión de las familias", dice la Madre Teresa. Y añade: "Debemos amar a los que tenemos más cerca, en nuestra propia familia. Es más fácil ofrecer comida a un pobre que confortar a un ser querido. Amemos a quien está cerca".

Regalos para los hijos

*L*os padres suelen dar muchas cosas a sus hijos, pero hay algunos regalos que pueden ser altamente significativos para los hijos y para la riqueza de la vida familar. Quienes se esmeren o se hayan esmerado por brindarlos a sus hijos, sabrán que su valor no es superado por ninguna herencia en dinero.

El primero es un buen ejemplo de vida. Los buenos padres son conscientes de que los hijos siguen lo que ven y no tanto lo que se les dice. Hasta los once o doce años de edad, un niño es un imitador nato y debe tener a sus padres como buenos modelos de vida.

El segundo es una adecuada reglamentación. En los primeros años, en especial hasta los siete, los hijos asimilan las normas que orientan su conducta. Necesitan control y límites y los padres yerran cuando ceden y se dejan comprar por el llanto o las sonrisas. Según el sicólogo Benjamín Bloom: "Los padres incapaces de poner límites a un niño, después sufren con un joven sin barreras".

El tercero es motivación. Los padres deben estimular a tiempo y a destiempo, y hacer sentir a sus hijos que los aman por encima de todo.

Familia

Valores esenciales

*L*os valores que transmitimos a nuestros hijos son un alimento más poderoso y nutritivo que todas las pizzas y todas las hamburguesas.

Uno de ellos es una espiritualidad rica. Que los hijos crean en Dios, lo amen y lo sientan como Padre, como Amigo y como un ser cercano. Felices serán aquellos hijos que reciban de sus padres una fe viva; ella será su firme apoyo en las tempestades de la vida. Con Dios en el corazón, un hijo está preparado para hacer el bien y para influir positivamente en todos los que lo traten.

Otro valor es una integridad sin concesiones. Saberles transmitir, con el ejemplo y con las palabras, unos principios éticos que guíen su actuar por el camino de la rectitud. Educar hijos para que sean honestos es garantizar la paz interior para ellos y la calma para sus padres y la sociedad.

Y otro valor que nutre sus almas consiste en infundirles un buen sentido de las prioridades. Que valoren más lo interior que lo exterior, más el ser que el tener, y más el servir que el poder. Sólo con unas buenas prioridades pondrán de primero lo primero y no perecerán en la traicionera feria de las apariencias del mundo.

Lo que los hijos necesitan

No siempre lo que los hijos quieren es lo que realmente necesitan, y los padres deben saber esto para educarlos bien. En su estupendo libro Creciendo con nuestros hijos, la orientadora familiar Angela Marulanda amplía así este tema:

Los hijos quieren golosinas y gaseosas, pero lo que necesitan son proteínas, vitaminas y alimentos sanos.

Los hijos quieren acostarse tarde y levantarse tarde, pero necesitan acostarse temprano y levantarse temprano.

Los hijos quieren ver mucha televisión, pero lo que necesitan es leer muchos libros y escuchar buena música.

Los hijos quieren privilegios y concesiones, pero necesitan igualmente tareas y responsabilidades.

Los hijos quieren muchas cosas con poco esfuerzo y necesitan pocas cosas con mucho esfuerzo.

Los hijos quieren alboroto, holgazanería y desorden, y necesitan tranquilidad, armonía y orden.

Los hijos quieren padres que les den regalos y los dejen en paz, pero lo que realmente necesitan es padres que les pocas cosas y que participen mucho en sus vidas.

La bomba de la infidelidad

*R*echazamos enérgicamente a los violentos y criticamos a quienes ponen bombas. Pero ¿sabemos que causamos más daño a nuestros hijos y cónyuges siendo infieles que destrozando objetos con bombas y estallidos? Es una violencia peor. Puede que la persona infiel no dañe los cuerpos de quienes la aman, pero sí hiere sus almas y destroza sus corazones.

Quienes tienen dificultades de pareja deben recordar que la solución no consiste en refugiarse en aventuras amorosas sino en enfrentar con valentía su disyuntiva: o mejorar o definirse.

No es justo hacer sufrir a los nuestros con actitudes inmaduras e incontroladas, contrarias al amor. No es justo prolongar los dramas cotidianos. Si lo pensamos bien, ¿Qué garantía nos ofrece alguien dispuesto a compartir nuestra intimidad sin importarle el dolor de un hogar?
Para ser fieles hagamos este compromiso:

"No me haré más daño, ni a mí ni a mis seres queridos, deseando lo que no me corresponde. Desde hoy, mis pensamientos, emociones y actos estarán bajo mi más estricto control. Preservaré mi propia divinidad, cueste lo que cueste".

¡Inaceptable!

S i usted es padre de familia imagínese que un extraño llega a su casa y le dice:

- Permítame me llevo a su hija para que vea un burdel, una taberna de mala muerte y un violento tiroteo que arroje un saldo de varios muertos.

- ¿Cree usted que yo estoy loco? ¡Respete! ¿Cómo se le ocurre semejante barbaridad?

- No señor, no estoy loco; déjeme entonces yo la llevo a ver con sus propios ojos cómo se roba y en qué forma se practica la corrupción.

- Mire, señor. No sé quién es usted ni qué pretende. Pero antes de que yo me descontrole, le ruego que se vaya.

- No, no quisiera irme sin que me dejara llevar sus niños a un sitio donde consumen droga y se tiene sexo sin control. También creo que es muy importante para ellos ver relaciones incestuosas, adulterios y varias peleas familiares.

¿Hay alguna diferencia entre esto y toda la basura que sus hijos en la televisión indiscriminada y en el mal cine? ¿Sabe cuánto daño causa esa basura a nivel mental y emocional? ¿Sabe que ver un programa nocivo es ayudar al rating y así permitir que lo sigan presentando en el futuro? ¿Se cerciora sobre lo que ven diariamente? ¿Dialoga con ellos sobre todo eso?

La realidad de la TV

C uando se ve demasiada televisión en casa, esto es síntoma inequívoco de que falta presencia de los padres. La televisión abunda cuando escasea el afecto. Los hogares teleadictos son evidencia de que los padres están demasiado distantes de sí mismos y de sus hijos. Lo grave es que la televisión sin control es una máquina que programa imágenes de violencia.

Cuando se hacen críticas al sensacionalismo de ciertos espacios de televisión, la excusa que dan los medios suele ser: sólo mostramos la realidad. Otros van más allá y dicen: la realidad es peor. ¿Si será verdad? Y en caso de que lo fuera ¿son válidas esas respuestas? ¿acaso la realidad está hecha sólo de secuestros, muertes, violencia, incestos, tragedias, divorcios y desastres? La realidad que muestran es sólo la que vende, ya que la televisión para muchos sólo es un negocio.

Este es un grave círculo vicioso, porque mientras más ve la gente esos programas, más violencia se atrae, y más se afecta a toda la comunidad. ¿Por donde empezar a abordar el problema? No viendo esos programas, haciendo pasar una voz de conciencia entre nuestros amigos y conocidos, y enviando mensajes de protesta a las entidades responsables y a las programadoras.

Convivencia familiar

*M*ejora tu vida de familia y verás como esa vida familiar mejorará tu vida y llenará de paz tu espíritu. Dile a los seres queridos que los amas, expresa tu afecto y ábrele las puertas a la ternura. Aprende a resolver los conflictos en forma pacífica, con una serena tolerancia y una amorosa comprensión.

Todo cambia cuando decides ponerte en el lugar de los demás para acoger sus motivos y poder entenderlos. Cree en el diálogo como camino de acercamiento y recuerda que el arte de escuchar es vital en la comunicación. Aprende a valorar los silencios, a interpretar los gestos, a mirar a los ojos y a desterrar los prejuicios.

Para convivir en armonía necesitas mucha paciencia y una gran misericordia con las flaquezas propias y ajenas. Convivir es más fácil si te amas mucho, ya que al estar en paz contigo mismo podrás estar en paz con los otros. La capacidad de convivir armoniosamente con los demás es, sin duda alguna, una de nuestras más valiosas realizaciones.

Cuando muere un ser querido

$\mathcal{N}$os cuesta enfrentarnos a la muerte porque es un viaje que provoca desconcierto y suscita temores. Fortalece tu esperanza y haz menos honda tu aflicción cuando la muerte visite a tus seres queridos. "La muerte es un despertar de una noche de sueños. Es el retorno del alma hacia la luz", decía el sabio oriental Nari. Son palabras de esperanza que nos ayudan a aceptar la realidad de la muerte, que es un paso a otra vida más plena. Pensar en la otra vida como continuación de ésta es de sabios y nos lleva a crecer en consciencia y en responsabilidad. Por eso, nada mejor que abrirse a lo trascendente y darle a los actos una dimensión de infinito.

Miramos la muerte como un descanso, y lo es. Pero ella no es un paso hacia la inercia y el "descanso eterno" sino un paso hacia la plenitud de la vida. La muerte no es un castigo ni un adiós; es un "hasta luego" y un paso al fascinante mundo del espíritu. Un espacio de libertad y plenitud en el que cada cual vive los frutos de su siembra terrenal. La muerte es un paso a otra vida que ya vislumbraron seres clínicamente muertos que volvieron del más allá. Tenemos certezas médicas de una vida más allá de la muerte, plena de paz y amor. La muerte no es sumergirse en las tinieblas, sino extasiarse en la luz pacífica y amorosa del Creador.

Familia

Cuando muere un ser querido

Ante mi
PAIS Y LA HUMANIDAD

Dejarse transportar por un mensaje
cargado de esperanza, de amor y de paz, hasta
apretar la mano del hermano, eso es solidaridad.
Convertirse uno mismo en mensajero del abrazo
sincero y fraternal que unos pueblos envían
a otros pueblos, eso es solidaridad.

Monseñor Leonidas Proaño

PARTE III

AMAOS

*E*l precepto del Maestro Jesús conserva toda su vigencia como norma de vida:

"Amaos los unos a los otros"

Amémonos con un amor basado en el respeto, iluminado por la verdad y realzado por la comprensión. Amémonos con la plena conciencia de que todos somos hijos del Padre Dios y, por lo mismo, hermanos universales.

Amémonos los unos a los otros sin el oprobio de la injusticia, sin la infamia del engaño, sin el veneno del odio. Amémonos los unos a los otros desterrando los prejuicios, la discriminación, el juicio y la codicia.

Amémonos con un amor solidario, a ejemplo de seres como San Agustín, San Francisco de Asís, Mahatma Gandhi, Martin Luther King y Madre Teresa de Calcuta.

Seamos luz del mundo con un amor paciente e infinitamente tolerante. Un amor siempre abierto al perdón. Amémonos con la firme convicción de que Dios es amor, y sólo con El y por El se alcanza la hermandad.

El amor crea y une

*M*editemos en este texto de Martin Luther King: uno de los mayores problemas de la historia es que el amor y el poder se han enfrentado como polos opuestos. El amor se identificó como la resignación ante el poder, y el poder como la antítesis del amor. Hay que afirmar que el poder sin amor es temerario y abusivo, y que el amor sin poder es sentimental y anémico.

El poder y su prioridad, el amor, complementan los deseos de la justicia. La justicia y su prioridad, que es también el amor, impedirán el odio y la violencia. El amor es la única fuerza capaz de transformar a un enemigo en un amigo. Nunca nos libramos del enemigo respondiendo al odio con odio. Nos libramos de la enemistad hermanándonos con él, de alma a alma.

Por su misma naturaleza el odio destruye y desgarra. Por su misma naturaleza el amor crea y une. Hay amor donde brillan la comprensión, la sinceridad, el respeto, el cariño y la responsabilidad.

Sabiduría de Gandhi

"*L*a verdadera fuente de los derechos es el deber. Si cumplimos con nuestros deberes será fácil hacer que se respeten nuestros derechos.

El amor es la fuerza más humilde, pero la más poderosa de que dispone el mundo. El mundo está cansado de tanto odio. Tengo fe en que el amor es el arma más grande de la humanidad. Creo que la fuerza que nace de la verdad puede reemplazar a la violencia y a la guerra.

El amor puede lograr la conversión simultánea de los que se autodenominan terroristas. Y la de los gobernantes que tratan de desarraigar el terrorismo castrando a toda la nación.

A mi juicio, la administración de la ley, consciente o inconscientemente, se ha prostituido al servicio del explotador.

Sé que el acto más espiritual, amar, es al mismo tiempo el más práctico y el más revolucionario". Mahatma Gandhi.

Amar en abstracto

*D*urante diez días un sociólogo se cubrió con harapos y llevó la vida de un pordiosero en los peores antros de Nueva York. Aguantó hambre, soportó el frío y sufrió golpes, amenazas, constante rechazo y la cruel sensación de saberse despreciado y no querido. En cinco palabras sintetizó la experiencia que vivió con los seres que lo trataron como un desechable: "Es fácil amar en abstracto".

Es un diagnóstico tan duro como certero. Tendemos a "amar" hasta que aparece la incomodidad. Nos gusta el amor fácil, el que no pide sacrificios significativos. Pocos cambian de programa y de itinerario como el Buen Samaritano del evangelio. Pocos aman en concreto y prefieren hacerlo en abstracto. Es más cómodo amar sólo de palabra y luego pasar de largo cuando alguien nos necesita.

Las excusas están a la mano: "Es peligroso", "tengo mucho por hacer", "si están mal es porque se lo buscaron", "eso le toca al Gobierno". El Señor nos ayude a amar, no como nos gusta, sino como Él nos ama y como lo necesitan los otros. Sin sacrificio el amor es romanticismo vacío.

Examen del amor

*E*l místico carmelita San Juan de La Cruz describió el paso de esta vida a la vida eterna con un toque de poesía y mucho de penetración al decir: "Al atardecer de la vida te examinarán en el amor".

Al morir, sólo nos llevaremos el amor que dimos o el desamor que nos guardamos. En la presencia de Dios se nos preguntará cómo administramos los talentos recibidos a la luz del amor. Será el mismo examen de amor para pobres y ricos, sabios e ignorantes, débiles y poderosos. Será un examen en el que sólo contará el ser, no el tener ni el aparecer. ¿Estamos preparados para aprobar ese examen? Podemos tener todo el saber y todos los tesoros pero sin amor no somos nada. 1 Corintios 13, 1-3.

En el capítulo 25 de San Mateo, Jesucristo señaló con claridad los puntos del examen al identificarse con los necesitados: "Amamos a Dios sirviendo a los demás". Ya conocemos, pues, las preguntas del examen celestial: "Estaba sediento, ¿me diste de beber? Estaba hambriento, ¿me diste de comer? Estaba enfermo, ¿me visitaste?" Con Jesús como Maestro de Vida, preparémonos a aprobar el examen más importante: el examen del amor.

AMAR ES COMPARTIR

*T*estimonio de la Madre Teresa de Calcuta:
"Nunca olvidaré la noche en que un hombre
fue a nuestra casa y nos dijo:
-Hay una familia con ocho niños que hace muchos
días no tienen qué comer. Hagan algo.

Entonces fui y llevé arroz a aquella familia. Pude
ver el horrible rostro del hambre pintado en la cara
de los niños. La madre tomó el arroz, lo dividió en
dos partes y salió con una de las partes que había
apartado. Cuando volvió le pregunté:
-¿A dónde fue usted? ¿Qué fue a hacer?
Y ella me dijo mansamente:
-Ellos también están hambrientos.

No me sorprendió tanto su gesto de compartir
como el hecho de que ella conociera los problemas
de otra familia. Ella pertenecía a la religión hindú,
mientras que sus vecinos eran musulmanes. Sin
embargo, ella sabía que sufrían y fue a compartir.
En medio de su sufrimiento y el de sus hijos, tuvo
coraje y amor para ser solidaria primero con los
demás. Es lo que todos podemos hacer con los que
nos rodean".

Ejemplo de Dostoievski

*D*urante varios años estuvo en Siberia el escritor ruso Fedor Dostoievski, condenado a trabajos forzados por sus ideales antizaristas. Allí, en medio del hambre, el dolor, el frío y los maltratos, mostró la grandeza de su espíritu.

Se convirtió en el protector de los demás condenados. A todos ayudaba y a todos consolaba. Voluntariamente, Dostoievski se dedicó a servir a los presos y se convirtió además en su maestro. Cuando alguien lo elogió por animar a los demás y servirles como su maestro, el escritor dijo:

"Todo es verdad, menos una cosa: yo no he sido el maestro de los otros condenados. Por el contrario, he aprendido mucho de ellos, y me he considerado siempre su humilde discípulo".

¡Admirable! Esos son los valores que todos necesitamos: servicio y sencillez. Son dos faros que alejan las sombras y traen felicidad. ¡Qué bueno aprender de todos sin el freno de la soberbia!

Injusticia

$\mathcal{N}$os movemos en el mundo del absurdo en el que la realidad supera a la ficción y lo normal es lo anormal. Un rápido vistazo al oscuro panorama de la injusticia mundial o nacional lo prueba hasta la saciedad:

El mundo desarrollado gasta el 5.5% de sus ingresos en gastos militares y el 0.3% en ayuda a los paises pobres. Los gobiernos del mundo gastan en 2 días más dinero en armas que el que gastan las Naciones Unidas en 365 días para la paz, la salud, la educación y los problemas sociales.

En este mundo desquiciado contamos con un soldado por cada 43 habitantes y un médico por cada 1.030 habitantes. Y algo más absurdo todavía: En los últimos 30 años los paises pobres han multiplicado sus gastos militares por seis.

Ahora bien, lo triste es adivinar con dolor toda la miseria y el sufrimiento que se esconden detrás de esas frías cifras.

El desafío es sembrar justicia para que nazca la paz y acabar con el derroche, el consumismo y la insensibilidad. ¿Cuál es tu compromiso?

Lección de Diógenes

C élebre por sus excentricidades, el filósofo griego Diógenes despreciaba las riquezas y vivía en un tonel. Era enemigo de las convenciones sociales y abiertamente criticaba el materialismo, la hipocresía y la injusticia. Un día le pidieron su opinión sobre cuál era la mejor hora para comer. Diógenes contestó: "la mejor hora para los ricos es cuando quieren y para los pobres cuando pueden".

En nuestro mundo hay más de mil millones de personas que a duras penas sobreviven y comen cuando pueden, y no cuando lo necesitan. Hay pocos con demasiado y demasiados con poco, y por eso la injusticia genera violencia. Es urgente que aumente el número de los solidarios que comparten y hacen justicia social con planes y acciones de vivienda, salud, empleo o educación.

Hacen falta más y más seres generosos dispuestos no tanto a dar el pescado como a enseñar a pescar. Podremos convivir como hermanos si amamos con obras. 1.200 millones de pobres esperan nuestra ayuda.

TUPAC AMARÚ

*E*l cacique inca Tupac Amarú inició en 1780 su gran rebelión contra la injusticia y la corrupción. "Mi único ánimo es cortar el mal gobierno de tanto ladrón zángano que nos roba la miel de nuestros panales".

Aunque al fin murió ejecutado, sembró un ideal de justicia como defensor de los derechos humanos. Hoy hacen falta seres con el coraje de Tupac Amarú, dispuestos a acabar con la miseria y la inmoralidad. Matan más personas los funcionarios deshonestos con sus fraudes, que los subversivos con sus fusiles. Los robos al erario son más letales que muchas granadas. La corrupción genera violencia.

¿Qué hago yo contra los "ladrones zánganos" de hoy? ¿Mi sendero es de justicia o de deshonestidad? "Dichosos los que tienen hambre y sed de justicia" decía Jesús. El nos enseñó que la paz es obra de la justicia.

El espectro del hambre

Cuenta la Madre Teresa que en una ocasión recogió a una niña hambrienta en las calles de Calcuta. La hermana le dio un trozo de pan, y la niña comenzó a comerlo lentamente, miguita a miguita, con miedo. "¡Vamos, no temas, nadie te quitará ese pan, cómelo todo!" le dijo la Madre Teresa. Y la pobre niña contestó: "Tengo miedo porque una vez que este pan se me termine, volveré a tener hambre". ¿Podrá seguir uno igual imaginando a esa niña hambrienta que hace rendir un pan, miguita a miguita, porque le teme al hambre que le espera?

Son ilusos los que se ufanan de que el capitalismo le haya ganado la guerra al comunismo, cuando no le ha ganado la guerra a la injusticia y la pobreza. Si quieres la paz, practica la justicia, sé solidario. Ser justo es procurar con decisión que toda persona satisfaga sus necesidades básicas: salud, educación, vivienda y empleo. La paz será un sueño mientras a los empobrecidos por sistemas injustos no se les brinde una vida que merezca el nombre de humana. La paz será una fantasía mientras unos pocos vivan en el lujo y la ostentación, ante millones que sólo sobreviven. La justicia social es el camino para la convivencia pacífica.

JUSTICIA

U En el mundo hay un soldado por cada 43 habitantes y un médico por cada 1.030 habitantes. El así llamado "mundo desarrollado" gasta el 5.6% de sus ingresos en gastos militares, y el 0.3% en ayuda a los países pobres. El presupuesto de la fuerza aérea de los Estados Unidos, es superior al presupuesto total para educación de Asia, Africa y América Latina juntos.

Se podrían enumerar más datos como estos para tomar conciencia de cuántos esfuerzos tenemos que hacer si queremos construir la "Civilización del amor". Nuestros males no dependen de Dios sino del mal uso que hacemos de la libertad, seducidos por el egoísmo y no por el altruismo. Necesitamos una vacuna contra el Sida más peligroso: Síndrome de Inconsciencia Adquirida.

Sólo con un despertar espiritual lograremos tratarnos como hermanos, hijos del mismo Padre Dios. Ese es el desafío más importante: volver a Dios y volver al hermano. Así podremos cambiar y tener un médico para cada 43 habitantes y ningún soldado.

¡Creamos que la hermandad no es una utopía!

Desterremos a la corrupción

H Hagamos la revolución del amor, para que no triunfe el imperio del mal. Los deshonestos quieren gente dormida que se lava las manos ante la corrupción. Encendamos la luz de la esperanza y defendamos los derechos humanos. El sistema quiere seres aletargados, que no piensan, que sólo vivan para consumir y se dejen manejar como esclavos. ¡Despierta! Anímate a promover la justicia y la hermandad.

Todos estamos llamados al rescate de la ética, a desterrar la corrupción y a actuar con honradez. Al que actúa sin ética le va mal a corto, mediano o largo plazo: a él, a los suyos y a su patria. En una perspectiva de eternidad, ningún acto malo queda impune. La justicia divina no está viciada por la impunidad que reina en la Tierra y basta esperar un poco y ver cómo "el camino del impío acaba mal".

Esto lo tenía muy claro el gran líder Mahatma Gandhi, y por eso solía repetir: "Cuando me siento desanimado, recuerdo que el bien siempre le ha ganado la batalla al mal. A lo largo de la historia han aparecido dictadores asesinos y seres corruptos, que se creyeron invencibles, pero siempre, siempre, terminaron por caer. El bien y la bondad son los que han vencido".

JUSTICIA

Liderazgo ético

E n una pared alguien escribió: "¿Eres ético? No, soy político". Es un grafito que denuncia un mal más grave que la guerrilla y el narcotráfico: la siniestra corrupción de líderes y dirigentes. El país está en el caos por la doblez y la deshonestidad. Sin moral en la cúpula, es inútil pedir ética en la base. La patria necesita líderes movidos por altos ideales y no por una ambición desmedida y por pasiones desbordadas.

Un sistema corrupto causa más muertes que el terrorismo, y se convierte en un desorden establecido. ¿Por qué no se llama subversivos a los funcionarios expertos en el fraude, el peculado y los desfalcos? ¿Por qué los partidos políticos no expulsan de sus filas a los inmorales y los deshonestos?

El país vivirá en paz sólo cuando el poder se use para servir y la ética guíe la política y la economía. La patria tendrá futuro cuando pesen más los valores morales que los valores económicos.

Justicia social

*M*ensaje de San Basilio: "Del hambriento es el pan que tú retienes, del desnudo es el abrigo que guardas en el armario. Del descalzo es el calzado que se está pudriendo en tu poder. Del necesitado es el dinero que acumulas".

Expresiones duras porque más cruel es la miseria. "Socorrer a los necesitados es justicia", decía San Agustín. La justicia social es muchísimo más que dar limosna para acallar la voz de la conciencia. "No le regalas al pobre una parte de lo tuyo, sino que le devuelves algo de lo suyo". San Ambrosio.

Decía Mahatma Gandhi: "Está muy bien hablar de Dios cuando se ha desayunado bien y se espera un almuerzo mejor. Pero es imposible calentarse al sol de la presencia divina cuando millones de hambrientos llaman a nuestra puerta".

No hablemos de pobres, sino de empobrecidos por el sistema, el derroche y la explotación. "Felices los que tienen hambre y sed de justicia".

La injusticia mundial

$\mathcal{E}$l sombrío panorama de la injusticia social en el planeta lo puede a uno sumir en el desaliento o lo puede comprometer a luchar por la hermandad y la solidaridad.

El 20% más rico de la población mundial recibe el 82,7% de los ingresos totales del mundo. Léase bien: el 20%, recibe el 82,7%. Mientras tanto, el 20% más pobre recibe únicamente el 1,4% de los ingresos. Así como suena aunque parezca absurdo: el 20% más pobre recibe sólo el 1,4%. Detrás de esas cifras hay millones de indigentes y miserables.

El Programa de la ONU para el Desarrollo presentó este crudo balance de la distribución de ingresos en el mundo en 1997:

Población mundial	Ingresos mundiales
20% más rico	82,7%
segundo 20%	11,7%
tercer 20%	2,3%
cuarto 20%	1,9%
20% más pobre	1.4%

En otras palabras, el 60% de la población mundial recibe únicamente el 5,6% de los ingresos del mundo. Y la brecha entre ricos y pobres crece y crece. ¿Cuándo vamos a despertar?

Justicia

El abismo de la desigualdad

*L*os poderosos insisten en que el problema más grave del mundo es la superpoblación, pero ese es un sofisma para ocultar las inmensas desigualdades. Lo cierto es que hoy en día el mundo produce tres veces más de lo que puede consumir y que el 20% más pobre de la población sólo recibe el 1.4% de los ingresos.

Los anteriores datos son reportados por la ONU en su Programa para el Desarrollo y llevan este título: El abismo de la desigualdad. Si los pobres del planeta vieran con sus propios ojos toda la comida que se pierde y se bota, tendríamos una guerra inmediatamente. A los poderosos les sale más barato arrojarla al mar o quemarla que distribuirla entre los pobres de la tierra.

Crece en conciencia, en todo el sentido de la palabra, y estarás dando un primer paso para acabar con la escandalosa brecha entre muchos con poco y los pocos con mucho. Afiánzate en Dios, con todo tu ser, y únete al llamado invocador de toda la humanidad. Así estarás contribuyendo con tu granito de arena para ayudar a cambiar la conciencia en el mundo.

¿Cuál es tu compromiso?

Si un familiar nuestro estuviera secuestrado la vida nos habría dado un giro inesperado de 180 grados. Estaríamos entregados completamente a buscar su liberación y habríamos dejado de lado otros intereses.

La pregunta es ¿por qué no reaccionamos todos con más ardor y constancia cuando el drama es de los demás? ¿Acaso mañana no pueden llegar el dolor y la angustia a nuestro propio corazón y a nuestra familia?

El secuestro, la violencia y las "pescas tenebrosas" son un peligro que nos acecha a todos, sin distingos de clase social. Las madres de los soldados y los policías lo saben muy bien y por eso debemos exigir la liberación de todos los secuestrados.

Pero el problema no son sólo los secuestros sino el ciclón social que hoy azota al país y que nos pide un compromiso. Es hora de actuar para evitar una guerra total. Tu compromiso puede ser en un grupo de acción social, de concientización o de servicio.

Justicia y no violencia

*H*ay muchos países con más miseria que el nuestro. Uno de ellos es la India. Allí los cambios significativos se lograron sin violencia. Soñar no cuesta nada, se dice, pero uno sueña con un ser excepcional como Mahatma Gandhi, recorriendo amorosamente los caminos de la tierra con su mensaje de la Ahimsa: la no violencia.

"Yo tengo una convicción profundamente arraigada y es la de que sólo la no violencia puede salvar a la humanidad", nos dice. Si somos amigos de la paz o de la no violencia, tenemos que desarmar los espíritus. La flor de la paz se recoge con semillas de justicia social. Compartir es más importante que pintar palomitas.

No asociemos la paz únicamente con las guerrillas. Depende en gran parte de que no haya ira en las miradas, agresividad en los gestos, violencia en el hogar, explotación e injusticia. La no violencia es el mensaje central de la Biblia. Es violencia derrochar o pagar malos salarios. Es justicia compartir y tratar a todos como hermanos.

Mahatma: alma grande

A Gandhi lo llamaban "Mahatma" en la India. Mahatma significa Alma Grande. Logró la independencia de su país apoyado en dos fundamentos: la no violencia y la fuerza de la verdad.

Acuñó el término "Satyagraha" para sus protestas contra la injusticia y la dominación. Satyagraha significa "fuerza de la verdad". Verdad que para Gandhi estaba alimentada siempre por el amor. Amor, verdad y no violencia son las herramientas que necesitamos para vencer la injusticia y para gozar de paz.

Para Gandhi el amor implicaba una profunda tolerancia. Por eso logró unir a hinduistas y cristianos, musulmanes y budistas en un ideal común: acabar con la injusticia. Los que anhelamos un futuro sereno para el país, debemos cambiar las críticas por acciones de amor, verdad y no violencia. Y debemos, además, vivir a cabalidad la cualidad de la tolerancia.

Amar o morir

*L*a primera carta de San Juan es una de mis favoritas en el Nuevo Testamento. Es como un Evangelio en pequeño. Va a lo esencial de la religión que es caminar en la luz y vivir en el amor a Dios, que se prueba en el amor a los demás.

San Juan no ahorra palabras duras para calificar a los que odian. Los equipara a los asesinos y a los que están en la muerte. Este es su mensaje:

"Nosotros sabemos que hemos pasado de la muerte a la vida porque amamos a los hermanos. Quien no ama permanece en la muerte. Todo el que aborrece a su hermano es un asesino y sabéis que ningún asesino tiene vida eterna en El.

En esto hemos conocido lo que es el amor: en que El dió su vida por nosotros. También nosotros debemos dar la vida por los hermanos. Hijos míos, no amemos de palabra ni de boca sino con obras y en verdad". 1 Juan 3, 14-18.

¿Estoy yo vivo con el amor o muerto con el egoísmo? Me voy a animar a dar vida con el amor, con un amor comprometido. Cuando amo de verdad, soy feliz y doy felicidad.

No violencia

Odio NO, AMOR SÍ

*R*osa Parks, una mujer negra de la ciudad de Montgomery, se negó a ceder su asiento a un blanco en el bus, el primero de diciembre de 1955. Ese gesto fue el inicio de un boicot al transporte público, boicot efectuado por la comunidad negra liderada por Martin Luther King. El boicot duró un año, hasta que la Corte Suprema declaró ilegal la segregación racial en el transporte público, y los negros pudieron sentarse en un bus donde quisieran.

Fue un triunfo que exigió muchos sacrificios a la comunidad negra. Hubo arrestos, atentados y la casa de Luther King fue dinamitada. Sin embargo, iluminado por su firme fe en Dios, Martin Luther King fue fiel a sus principios de lucha pacífica: "No recurriremos a la violencia. No nos degradaremos a nosotros mismos con el odio. El odio será devuelto con amor". Y con el poder del amor y la energía de la no violencia, Luther King obtuvo derechos de justicia e igualdad para su raza.

Es bueno que hoy nos preguntemos qué lecciones tiene su misión para nosotros. Si en nuestra patria "el odio es devuelto con amor", podremos al fin convivir en paz.

No violencia

El perdón es el camino

*E*l amor y el perdón son el camino. Un camino de reconciliación, de paz interna y de liberación. El perdón es la escuela en la que aprendemos a conocernos y en la que nos podemos graduar en aceptación y en tolerancia.

Antes de partir de este planeta debemos abrirnos a la acción purificadora y bondadosa del perdón sincero y generoso. Es quizás el mejor regalo que nos podemos dar para disfrutar la vida sin el peso del odio ni los azares del rencor.
No alcanzamos a imaginar todo el bien que nos hacemos y lo mucho que prodigamos a otros con un perdón amoroso y compasivo.

En el perdón hay vida y esperanza, en el perdón hay gozo y libertad, en el perdón hay canto, poesía, luz y porvenir. El perdón es el remedio para que la humanidad se aleje de la violencia, de la ira y de tanta sangre derramada. Las lágrimas que brotan de un corazón que perdona secan las lágrimas que surgen de la rabia y de la muerte. El perdón es el camino.

No violencia

SER MÁS

*P*alabras del escritor Octavio Paz, Nóbel de Literatura: "Estamos llamados a crear un mundo donde no imperen la mentira, la mala fe, el disimulo, la avidez sin escrúpulos y la violencia. Nos corresponde crear una sociedad humana, una sociedad que no haga del hombre un instrumento ni de la ciudad una dehesa".

Es un cometido que nos pide dar prioridad a los valores espirituales y morales. La convivencia pacífica no es una utopía cuando nuestro interés está centrado en ser más y hacer lo mejor. Con un alto aprecio por la dignidad del hombre, podemos acabar con la explotación y la afrentosa injusticia. La tolerancia nos permite convivir con quien piensa distinto y respetar los derechos humanos.

La civilización del amor no es una quimera; la viven los que ven en el otro a un hermano, no a un rival ni a un objeto. ¿Para qué tanto progreso técnico junto a un receso moral? ¡No más miseria, ni más violencia, ni torturas, ni odios! ¡Somos hermanos!

El poder de la inocencia

*E*l mundo reclama hombres limpios, sin mácula y dispuestos a dar la vida por la verdad. Ellos hacen la historia y son la semilla del futuro. Según el novelista francés Victor Hugo: "La fuerza más poderosa de todas es un corazón inocente".

En un corazón inocente refulge la luz de la verdad; en él domina la fuerza de la bondad. Dios se muestra fuerte en el aparente débil. Un corazón inocente es también el manantial de la auténtica alegría y el trono donde reina la paz.

La inocencia es rectitud y es transparencia. El corazón limpio es también un corazón fuerte, capaz de enfrentarse al mal y vencerlo.

Los seres íntegros han liderado las más grandes empresas. Han demostrado que "lo más blando es más fuerte que lo duro, el agua es más potente que la roca, y el amor es más vigoroso que la violencia", como decía Hermann Hesse.

¡Que todos sean uno!

E ste era el deseo de Jesucristo:

"Ruego para que todos sean uno, así como Tú, oh Padre, estás en mí y yo en Ti. La gloria que Tú me has dado yo les he dado para que sean uno así como nosotros somos uno".

Por eso la misión nuestra es crear armonía y acabar con los odios y las injusticias. Mi misión es la de ser unificador, un amigo de la hermandad que brota del sincero amor. La ansiada unidad surge cuando el amor se hace real en el respeto, la comprensión y la bondad.

Puedo acortar distancias en mi familia y en mi ambiente de trabajo. Puedo unir en lugar de dividir. Soy un creador de armonía cuando soy tolerante y sé perdonar, cuando valoro las diferencias.

Es lo que hace con maestría el músico: armoniza las notas de la escala en su rica variedad. Voy a dejarme guiar por el amor para que en mi hogar y en todas partes se cumpla el ideal del Señor: ¡Que todos sean uno! Juan 17, 20-26.

Para crear hermandad

Construimos un mundo más justo y fraterno cuando conjugamos a diario estos tres verbos: Comprender, Concertar y Convivir.

COMPRENDER es hacer real el amor, es ponernos en lugar de los demás para poder entenderlos.

Comprender es actuar con esa misericordia que distingue a Dios y que Él da a quienes lo aman. (Leer el Salmo 103).

CONCERTAR es acallar el egoísmo, dialogar y llegar a acuerdos de "ganar-ganar", sin perdedores que se tornan enemigos.

Concertar es saber ceder y negociar. Es equilibrar la firmeza y la tolerancia, con apertura y flexibilidad. En el mundo de los negocios se define como beneficio mutuo en un acuerdo positivo para todos.

CONVIVIR es poner vidas en común en lugar de competir. Y, por supuesto, es el resultado feliz de comprender y concertar.

Convivir es guiarse por la bondad, sin dejarse aprisionar por el poder. Es crear lazos de hermandad. Ahí están 3 llaves para lograr armonía: Comprender, Concertar y Convivir.

Padre Nuestro

*D*í Padre si cada día te portas como hijo y tratas a todos como hermanos.

Dí nuestro si no te aislas con tu egoísmo.

Dí que estás en los cielos cuando seas espiritual y no pienses sólo en la tierra.

Dí santificado sea tu nombre si amas a Dios con todo el corazón, con toda el alma y con todas las fuerzas.

Dí venga a nosotros tu reino si de verdad Dios es tu rey y trabajas para que él reine en todas partes.

Dí hágase tu voluntad si la aceptas y no quieres que sólo se haga la tuya.

Dí danos hoy nuestro pan si sabes compartir con los pobres y los que sufren.

Dí perdona nuestras ofensas si perdonas de corazón y cancelas el rencor.

Dí no nos dejes caer en tentación si de verdad estás decidido a alejarte del mal.

Dí líbranos del mal si tu compromiso es por el bien.

Y dí amén si tomas en serio las palabras de esta oración.

Hermandad

Hablemos el mismo idioma

*H*ablemos el mismo idioma es una canción de la cantante Gloria Stefan en su larga duración Mi Tierra. Es un canto a la unidad y un llamado a la tolerancia. Todos necesitamos valorar las diferencias y fortalecer las coincidencias.

La canción de Gloria Stefan no es sólo para que se unan los hispanos; es para que todos vivamos como hermanos. Vale la pena meditar el mensaje:
"A pesar de las diferencias que solemos buscar, respiramos el mismo aire, despertamos al mismo sol, nos alumbra la misma luna, necesitamos sentir amor". Todos podemos hablar el mismo idioma del amor, el idioma de la comprensión y la hermandad, según la canción: "Tanto tiempo que hemos perdido por discutir diferencias que entre nosotros no deben existir; son colores de un arco iris, son acordes del mismo son... Las palabras se hacen fronteras cuando no salen del corazón".

Ojalá el respeto y la tolerancia estén siempre de primeros, como "los favoritos" o "los mejores" en el hit parade de alma.

Compromiso con la Tierra

*C*ada cinco segundos desaparece un área de bosque del tamaño de un estadio de fútbol. ¡Qué horror! Esto significa que cuando nuestros nietos sean adultos tal vez no haya bosques sobre la tierra, y sólo los conozcan en fotos o en videos. Tenemos que amar y cuidar este planeta en lugar de convertirlo en un árido desierto, sin aire, sin agua y sin verdor. Y uno de los caminos para practicar la Ecología es ahorrar agua, no contaminar el aire y sembrar árboles.

Pero hay algo todavía más urgente: debemos acabar con el consumismo desaforado que nos convierte en compradores compulsivos. No nos dejemos manipular por una publicidad que multiplica las "necesidades innecesarias", como denunciaba Bernard Shaw. Aunque no sea fácil, tenemos que aprender a decir "eso no lo necesito", y dejar de ser esclavos de la moda y las marcas. Asumamos algún compromiso para que la Ecología no se quede en palabras. Aprendamos de nuestros ancestros indígenas a querer y cuidar a la Tierra, a la que ellos denominan Pacha Mama. Veámosla, igualmente, como a una preciada hija a la que debemos proteger, cuidar y embellecer.

GLASNOST

*G*orbachov ha popularizado el término glasnost, que significa apertura o transparencia. Las relaciones son diáfanas y cordiales con apertura. Sin máscaras, sin tapujos.

La apertura de corazón y de mente nos permite pulverizar las murallas del fanatismo. Con glasnost el desconocido es un amigo a quien no hemos tratado, y somos capaces de ver un hermano en todo hombre.

La apertura propicia el entendimiento, socava los prejuicios, nos despeja el camino del cambio. Es un reto motivador educar para esa transparencia. Quizás así las fronteras no sean más que limites geográficos.

Con apertura sabemos que de todos podemos aprender algo, que el dogmatismo divide, que la hermandad sí es posible. Para estrechar lazos de amistad, qué bueno es tener la mente y el corazón como "una casa de puertas abiertas".

Manos unidas

*B*uenas noticias, muchas buenas noticias debemos producir y compartir en un mundo hastiado del mal y sediento de esperanza. El mundo es un oasis cuando somos protagonistas de buenas acciones y comunicadores de buenas noticias. La sociedad necesita sembradores de optimismo, como lo son los miembros de Manos Unidas.

Manos Unidas es un organización no gubernamental (ONG) de voluntarios católicos que desde 1960 luchan sin tregua contra la pobreza, la enfermedad y la injusticia. Su labor social la realizan en los países del Tercer Mundo en la labor educativa, preventiva y de apoyo a proyectos de desarrollo sostenible. En 1995 Manos Unidas financió 1.500 proyectos de desarrollo en 60 países. Más de 3.000 campesinos pobres se benefician con uno de sus programas en Honduras. Su vida ha mejorado gracias a fincas autosuficientes y un buen mercadeo cooperativo.

Es estimulante saber que hay miles de seres que, en lugar de criticar, usan sus talentos para construir un mundo más justo y fraterno. Hay gente que nos necesita, y es mucho lo que podemos hacer por ella.

Sembrar la paz

*E*ste es el destino lúgubre de millones de seres en una sociedad que genera injusticia: "Estar vivo es un peligro; pensar, un pecado; comer, un milagro". Palabras del escritor Eduardo Galeano. Al compartir eres amigo de la paz; al derrochar eres amigo de la violencia. Sin justicia social la paz es una quimera.

Muchos alimentan su fe con vanas ilusiones, al implorar a Dios una paz que debe ser más una conquista nuestra que un regalo suyo. Nos urge vivir unidos a Dios, pero somos nosotros los que tenemos que sembrar la paz con la justicia y la convivencia fraterna. ¿Qué sentido tiene la oración del que reza por la paz en el templo y paga salarios de miseria en su empresa? ¿Qué valor tiene la oración para que no haya violencia, en aquel que es agresivo hasta con los que dice amar?

Tus actos de perdón, solidaridad y tolerancia alejan más la violencia que mil oraciones sin compromiso. San Francisco nos enseña que sólo hay paz si somos sembradores de amor, fe, esperanza, alegría y unidad.

Servir es iluminar

*T*agore escribió este bello pensamiento:

"Yo dormía y soñaba que la vida era alegría.
Desperté y vi que la vida era servicio.
Serví y vi que el servicio era alegría".

Vive para servir con los dones y tu vida se llenará de plenitud. El servicio engrandece y alegra. Puedes hacerte mucho bien haciendo el bien. El servicio te libera de la ciénaga del egoísmo.

Haz tuyo el credo de Mahatma Gandhi:
"Humildemente me esforzaré en amar, decir la verdad, ser honrado y puro. En no poseer nada innecesario, en ganarme la vida con el trabajo. En vigilar lo que como y bebo. En no tener jamás miedo y respetar las creencias de los demás. En buscar siempre lo mejor para los demás, en ser un hermano para todos los hombres, mis hermanos."

Tú eres luz del mundo cuando puedes decir como Jesús: ¡No he venido a ser servido, sino a servir!

Instrumentos de paz

*U*n poco de agua sucia no enturbia un río cristalino. Una minoría sin ética no puede acabar con un país. Venzamos la apatía para aclarar el horizonte y alumbrar un amanecer de paz, con el concurso de todos.

Somos más los amigos de la paz que los aventureros de violencia. Necesitamos buenas acciones y menos palabrería. Ser protagonistas de buenas noticias y no espectadores pasivos de lo aciago. Seamos instrumentos de paz.

Saldremos del túnel si el país nos duele y sentimos como nuestro el dolor de tantos que sufren. La patria nos llama a una convivencia fraterna, a la defensa de los valores espirituales y de la familia.

Pasemos de la crítica fácil a la acción constructiva para así despertar de una pesadilla que continúa debido a la indiferencia. El letargo generalizado es tan pernicioso como la inmoralidad de unos pocos.

¡Seamos instrumentos de paz!

Sembradores de esperanza

*C*uando nuestra fe es firme, dejamos de ser profetas de calamidades y nos convertimos en sembradores de esperanza y constructores de un mundo más justo y fraterno. Si quieres que el país cambie, no te limites a lamentarte, haz algo. Con quejas y críticas aumentas la oscuridad; con buenas obras brilla la luz. Anímate a dar claridad con actos de amor. Cuando muere la injusticia nace la concordia. Comparte con el pobre, alegra al triste, anima al abatido, fortalece al débil, comprende al que yerra. Cada gesto de amor es un paso hacia la paz.

Depende de todos nosotros crear una sociedad fraterna con el poder del amor, la verdad y la justicia. Necesitamos del civismo que nos permite convivir en armonía. Hagamos nuestro el pensamiento de Charles Chaplin: "Unámonos todos, luchemos por un mundo nuevo y digno. Unámonos para liberar al mundo, para terminar con la codicia, con el odio y con la intolerancia".

Coraje

$\mathcal{H}$ ace años la palabra resignación estuvo de moda y era uno de los valores más promocionados. Tanto que todavía sufrimos los efectos negativos de la cultura del aguante y de una mal llamada bondad, ingenua y acrítica.

Por aguantar hasta lo indecible es que los bobos son manejados por los vivos y los politiqueros hacen de las suyas.

Por ese aguante ingenuo es que nunca tocamos fondo y la indiferencia nos impide actuar con coraje y decisión. Bastante falta nos hace un curso intensivo y acelerado de firmeza.

Esa misma que tuvo Moisés para enfrentarse al faraón, que animó a David para luchar contra el rey Saúl y que tuvo Jesús para denunciar a los fariseos.

El vocablo griego de la Biblia para esa firmeza de carácter es "parresia" y sin éste valor nos esperan años y años de corrupción, violencia y miseria. ¿Será que nos resignamos a soportarlas?

Pidamos a Dios coraje. Así cortamos los males de raíz sin dejar que se conviertan en un fuerte roble.

Juramento de Bolívar

*E*ste fue el juramento que hizo Simón Bolívar sobre el Monte Sacro, en Roma, en 1806: "Juro que no daré descanso a mi brazo ni reposo a mi alma, hasta que haya roto las cadenas con que nos oprime por su voluntad el poder español".

El Libertador cumplió su promesa superando obstáculos, contradicciones, ataques y derrotas. Tenía una voluntad de acero y una tenacidad a toda prueba. Las mismas cualidades que yo necesito en mi lucha contra el mal. Necesito fe, ánimo y dedicación, y es preciso que me esfuerce sin descanso. Así puedo romper unas cadenas que esclavizan más que aquellas de las que hablaba Simón Bolívar: las cadenas del egoísmo, la mentira y la injusticia. Fui creado libre y no para vivir esclavizado por el poder, el placer o el poseer. Soy libre siendo responsable, ya que sin responsabilidad la libertad se convierte en libertinaje.

Soy libre si, guiado por el amor, cumplo mis deberes respetando los derechos de los demás. Hoy en día hay que insistir en los deberes porque se habla demasiado de los derechos. Ojalá mi alma no halle reposo hasta que rompa todas las cadenas que nos oprimen.

Compromiso con el futuro

*S*i no queremos estar al margen del proceso histórico, el nuevo milenio nos pide unos compromisos importantes.

Requiere apertura universal que genere unidad, sin grupismos egoístas ni individualismos estériles. Requiere apoyar el liderazgo femenino y promover relaciones hombre-mujer, con igualdad y mutuo enriquecimiento.

Requiere que fortalezcamos ese renacimiento religioso que presagia un nuevo amanecer. Poner a Dios en el primer lugar, con una fe viva y renovada, es un desafío que debemos asumir con entusiasmo.

El nuevo milenio es una ocasión excelente para actuar con audacia e inventiva. Comprende que de ti depende recrear el mundo con el poder de la fe, la esperanza y el amor.

"Esa Nueva Era que para unos es moda y para otros negocio, sea para ti un nuevo nacimiento", como nos dice el apóstol Juan en el capítulo 3, 1-8.

Fe en el ser Humano

En lo profundo del corazón humano es en donde debe darse una transformación iluminada por la fe e inspirada en el amor. Tal cambio requiere un firme compromiso, que se traduzca en acciones nuevas y positivas. El mundo reclama con urgencia seres apasionados por lo que hacen, con un alto sentido ético y un compromiso constante.

Refuerza la fe en la humanidad y aprende a confiar. "En mi vida he visto mucho mal, pero en compensación he visto mucho, mucho, mucho bien". Valioso testimonio de confianza, de Golda Meir, mujer que vivió la guerra y la violencia.

El poder de millones de seres humanos determinados a cambiar es indescriptible. Tolstoi afirmaba que: "De igual modo que una vela enciende a otra, y así llegan a brillar millares de ellas, así enciende un corazón a otro, y se iluminan miles de corazones".

¡Sigue firme!

En la vida de Martin Luther King fueron muchas las tempestades que exigieron de él toda su fe y todo su coraje.

Dos veces atentaron seriamente contra su vida, una con una bomba, y otra cuando una mujer le enterró un arma cortopunzante en el pecho, en septiembre de 1958.

Creyente convencido y practicante como era, Martin Luther King se apoyaba siempre en Dios y en él encontraba energías ilimitadas para nunca claudicar.

El mismo cuenta cómo en una época de constantes amenazas de muerte para él y su familia, pensó en abandonar la lucha por la igualdad:

"Había llegado al límite de mis fuerzas, y a un punto en el cual era incapaz de avanzar sólo".

Comenzó a orar y entonces sintió la presencia de Dios, y una especie de voz interior le dijo:

"Sigue firme por lo que es justo, sigue firme por la verdad y Dios estará a tu lado siempre".

Al instante Martin Luther King dejó los temores y se sintió listo para superar cualquier obstáculo.

ENTEREZA

Tolerancia no es complicidad

*D*e un tiempo para acá sólo se habla de tolerancia, como si fuera el valor más importante en la convivencia. La verdad es que siendo importante, la tolerancia no es más que un fruto del amor y la honestidad. Estos son los valores que debemos practicar ya que es peligroso oír a los corruptos y los egoístas predicando tolerancia.

Claro, nada mejor para ellos que pedir respeto y paciencia, porque así pueden seguir con sus atropellos, su inmoralidad y sus abusos. ¡Hay que ser intolerantes con la deshonestidad y con todo aquello que degrada al ser humano! Hay que rechazar con firmeza la corrupción, la injusticia, los secuestros, las masacres y las violaciones a los derechos humanos.

¿Acaso eso se puede tolerar en nombre de una supuesta bondad que termina siendo complicidad con el mal? Poco tolerante fue Jesús con los deshonestos de su época y por eso lo llevaron a la cruz: por atreverse a denunciar el mal. La senda del verdadero amor exige paciencia y serenidad, pero pide también osadía y sacrificio ¿estás dispuesto a pagar ese precio?

ENTEREZA

O VENCER, O MORIR

*L*a consigna de muchos generales en la antiguedad fue ésta: "¡O vencer, o morir!" (¡Aut vincere, aut mori!, en latín). Ojalá sea también la tuya en la guerra más importante: la que libras contra los vicios y los defectos. Necesitamos ánimo y determinación para poder vencer. El pusilánime está derrotado antes de luchar.

Esfuérzate por competir contigo mismo, antes que competir con los demás. Conságrate a dominar las pasiones y los bajos instintos. ¡O vencer o morir! es la consigna para que reine la moral donde se impone la corrupción.

La convivencia pacífica exige ganar la guerra contra la creciente inmoralidad. Sin ética no hay paz. El combate debe darse en el corazón de cada hombre: cambia tú para que cambie el mundo. Con armas poderosas como la fe, la esperanza y el amor, lograrás la mayor victoria: ser un hombre íntegro.

Ejemplo de Mandela

*P*ersonajes como Nelson Mandela nos impulsan a no perder la fe en la humanidad y a esperar contra toda esperanza. Capaz de soportar con coraje 26 años de cárcel por ideales como la libertad y la justicia, es el Luther King de Suráfrica.

"He luchado contra la dominación blanca y la negra. He acariciado el ideal de una sociedad libre. Por este ideal espero vivir, por este ideal espero morir si es necesario".

Como hijo de una familia aristocrática podría vivir sin sobresaltos, pero siente el dolor ajeno. Nelson Mandela nos enseña que a la larga el bien es más poderoso que el mal. El mundo sale del caos con seres de tal reciedumbre moral y tal transparencia espiritual.

Si ya las palabras están vacías, vidas como las de Mandela son un imán de rectitud y de bondad. En su vida se cumple este pensamiento de Ghandi: "Creo que la fuerza que nace de la verdad puede desplazar a la violencia".

Más bien que mal

"*U*rgente: hoy no se estrelló ningún avión. Ultima hora: la gran mayoría de las personas de nuestro país respeta la vida". Con noticias como éstas la gente no compraría prensa, no oiría radio. Es difícil que el bien sea noticia. Pero lo debe ser en nuestra mente al saber balancear. Piensa en los miles de jets que no caen, cuando uno lo hace.

Es bueno recordar que frente a unos miles de asesinos hay una inmensa mayoría de seres que no matan. El país no es sólo la página roja. Las noticias nos muestran sólo una cara de la patria. Hay más luz que sombra, aunque los medios de comunicación lo ignoren. El país es más un gran oasis con zonas desérticas que un gran desierto con pocos oasis.

Que el bien sea noticia en nuestro espíritu y en la vida. El pesimismo carcome a muchos porque sólo ven el mundo con la óptica negativa de los noticieros. No lo olvides, en el mundo hay más bien que mal.

Por sobre todas las cosas

El novelista ruso Fedor Dostoievski tiene páginas de una espiritualidad cautivante. En su atormentada vida fue un inquieto buscador de la verdad y un buscador de Dios. El siguiente mensaje suyo es particularmente revelador:

"Hermanos míos, amad al semejante incluso en su pecado, porque un amor así acerca a Dios. Amad a toda criatura divina y a todo el universo: a cada granito de arena, cada hojita, cada rayo de luz. Amad todas las cosas. Si así lo hacéis, comprenderéis el misterio divino de todo lo existente".

La humanidad vive sus mejores épocas cuando la espiritualidad sentida inspira obras de servicio, justicia y hermandad. Sin Dios y sin fe, el hombre anda a la deriva y, en un mar de incertidumbre, padece incesantes conflictos y el lúgubre reinado del odio.

Volver a Dios y fortalecer con El una relación de amistad, es el desafío que tenemos para que la noche oscura se convierta en aurora radiante.

Ante
DIOS

Nada detiene a las almas animosas.
Almas enamoradas de Dios, que luchan
con una cualidad que Santa Teresa de Jesús
llamaba determinada determinación:
"Necesitamos un alma animosa y
determinada para arriesgarlo todo,
venga lo que viniere, poniéndonos
en las manos de Dios".

Gonzalo Gallo González

PARTE IV

Gracias, Señor

Señor, tú me das valor cuando me acosa el temor. Tú eres un baluarte y un refugio seguro. Tú, bendito Señor, eres mi esperanza y mi confianza. Nada temo porque tú estás conmigo y eres la luz que nunca se apaga.

Tú eres mi capitán y mi timonel; por eso me atrevo a levantar el ancla y a desafiar los temporales y las tempestades. Sé que contigo no puedo naufragar; sé que tú "tienes poder para calmar el viento y traer la calma". Como nos lo enseñaste en Mateo 8, 23- 27. Aumenta, oh Dios, mi fe y fortalece mi esperanza. Dame coraje, Señor, porque a veces el fardo se hace muy pesado. A ti acudo, gran Señor, para encontrar descanso en medio de la fatiga y aprender de ti, que eres manso y humilde de corazón.

Mírame con amor, perdona mis fallas, dame un nuevo corazón y hazme sentir que "tu yugo es suave y tu carga ligera", como nos cuentas en Mateo 11, 28-30. Gracias, bendito Dios, por darme fuerzas y acrecentar mi paciencia cuando tiendo a claudicar. Gracias por tu amor siempre fiel y tu constante protección. Gracias mi Señor.

GRACIAS PADRE

*S*eñor Dios mío, pongo este día en tus amorosas manos; guía mis pasos con tu sabiduría. Bendito Dios, protégeme con tu poder, ilumíname con tu luz y reconfórtame con tu presencia.

Gracias por el don maravilloso de la vida. Gracias por la salud, por la fe y por el amor.

Gracias, Señor, por los seres que me aman. Gracias también por mi hogar y mi trabajo. En este día, oh Dios, sólo quiero conocer Tu divina voluntad y cumplirla fielmente. Sé que quieres lo mejor para mí. Sé que me amas y me invitas a amarme y amar a los demás.

Con la energía de Tu Espíritu soy capaz de perdonar. Me animo a compartir y hacer el bien. Quiero, Padre, servirte en los demás, ser justo y honesto y tratar a todos como hermanos. Gracias Padre, por tu amor.

Señor, Dios mio, eres mi fuerza y mi esperanza, eres el amor y la verdad. Eres todo para mí.

Gracias, Señor

*G*racias, bendito Señor, por este nuevo día. Gracias por tu amor, tu luz y tu protección.

Gracias, Señor, por el amor que recibo y el que puedo compartir. Gracias por la fe, la esperanza y la alegría.

Gracias, oh Dios, por el milagro de la vida y por tantas maravillas que me rodean y a veces no valoro.

¿Cómo no apreciar ese sol que brilla, los mares y el cielo? Bendito seas por la majestad de la creación.

Gracias por la inmensa variedad de plantas y animales, gracias por el ciprés y el girasol, el delfín y las gaviotas.

Señor, que hoy y siempre mire la luz y no la sombra, que piense en todo lo bueno y borre las quejas con la gratitud.

Gracias por mi familia, mis amigos y por tantas personas que aman, sirven y siembran esperanza.

Te doy gracias y siento que contigo soy capaz de vencer las penas y el desaliento. Gracias, Señor, pues a pesar de los problemas, la vida es un milagro permanente.

Gracias sin fin

*G*racias, bendito Dios, por el día que despido con serenidad y el nuevo día que recibo con esperanza.

Gracias, Señor, por los esfuerzos realizados y los logros alcanzados. Gracias por tantos beneficios.

Alabado seas, oh Señor, por los gratos momentos, los nuevos conocimientos y tantas experiencias felices.

Gracias incluso por los errores de los que he aprendido algo y por los golpes que me han hecho madurar.

Gracias por el tesoro del hogar, el regalo de los amigos y el apoyo de tantas personas.

Gracias, amigo Dios, por la fe que me ilumina, la esperanza que me mueve y el amor que me da felicidad.

En tus manos, bendito Dios, pongo mi vida y la de mis seres queridos con una firme confianza.

Quiero amarte con toda el alma, amarme y amar a los demás. Quiero iniciar el nuevo día con paz en el alma y fuego en el corazón.

Gracias, Señor, por ser mi luz, mi amor y mi esperanza.

Gracias por vivir

*G*racias, Dios mío, por el don inestimable de la vida, por el tesoro del amor y el regalo de la salud. Gracias, oh Dios, por la esperanza y también por la alegría. Gracias, Señor, por la amistad.

Gracias, gracias, gracias, te digo sin cesar. Eres Luz, eres Paz, eres Amor. Gracias te doy de todo corazón. Por ese pan que me nutre, por el agua que calma mi sed, por la brisa que refresca, por el sol y por el mar. Por los esfuerzos que realizo, por los errores que me enseñan, por los éxitos que alcanzo; gracias, Señor. ¡Qué oportuno el consejo de este amigo! ¡Cuán estimulantes las palabras de ese ser querido! Gracias por el apoyo de tantas personas, el afecto de los que me aman, la inspiración del poeta, la magia del compositor.

Gracias por el embrujo del cielo, la sonrisa de los niños, la bondad de los ancianos. Gracias por las deslumbrantes maravillas de la Creación. Gracias, gracias, gracias.

Presencia de Dios

*V*aya donde vaya, Dios me acompaña, me guía con Su sabiduría y me ilumina con Su radiante luz. Su divina presencia me colma de paz y me infunde coraje. Nada temo porque Dios es mi escudo protector. Vaya donde vaya, me siento seguro porque Dios no me abandona.

Me regocijo al saber que Su amor es fiel y compasivo. El es mi amor, mi luz, mi paz y mi verdad. Lo veo en el ave que remonta el vuelo y lo siento en el agua y en el viento. De Su majestad me hablan las montañas y de Su sencillez, las florecillas.

Vaya donde vaya, un padre me protege, un amigo me acoge, un pastor me orienta: Dios no se separa de mí. Dios es mi esperanza, mi principio y mi fin. Vaya donde vaya lo llevo conmigo y cada día lo amo más. Siento en mi vida la dulce presencia de Dios. Así soy capaz de comprender y me animo a servir. El amor de Dios me colma de alegría.

Sabiduría divina

*S*abiduría, más que cosas, es lo que le debemos pedir a Dios en nuestras plegarias. ¿Qué mejor que contar con Su Luz en nuestras decisiones y acciones? Es un don que brota de la constante unión con Dios, de la oración asidua, de los momentos de silencio y reflexión.

Podemos esperar todo lo bueno de la sabiduría y todo lo peor de la ligereza y la superficialidad. Digamos muchas veces: ¡Señor, danos sabiduría; Señor, danos discernimiento!

En el Libro de los Proverbios 8: 1-36, la Biblia pone en boca de la Sabiduría las siguientes palabras:

"Dirijo mi voz a vosotros, hijos de los hombres, y os digo que mejor es la sabiduría que las piedras preciosas.

Mejor es mi fruto que el oro, y mi rédito es mejor que la plata escogida. Bienaventurado el hombre que me escucha, velando a mis puertas cada día, porque el que me halle, hallará la vida y alcanzará el favor de Dios".

Silencio y soledad

Sé amigo del silencio y la soledad, y podrás madurar espiritualmente y disfrutar de paz verdadera. Son los cauces por los que corre el agua cristalina de la sabiduría. Son las llaves para entrar en el mundo interior.

Sin soledad y silencio no hay conocimiento propio; sin conocimiento propio no hay autocontrol, sin autocontrol no hay felicidad.

Huye del bullicio y desecha la superficialidad; así descubrirás las riquezas del espíritu. Busca el sosiego, siente la presencia de Dios, medita y llénate de calma y energía positiva. Relájate, ora y únete a Dios con todas tus fuerzas en el cielo de un alma limpia y radiante.

El Maestro Jesús dio esta buena noticia: "El Reino de Dios está dentro de vosotros". El silencio y la soledad te permiten entrar en ese reino maravilloso, y te vuelven apacible y bondadoso.

Una bonita historia

*M*i historia favorita sobre las religiones está ambientada en una hacienda de esclavos negros al sur de los Estados Unidos. Allí discutían una noche sobre la verdad de los credos y cada quien aseguraba que sólo en el suyo había salvación. Un sabio anciano los escuchaba a todos, sin pronunciar palabra, mientras las discusiones subían de tono.

Cuando le preguntaron qué opinaba y cuál era la iglesia verdadera, el anciano dijo lo siguiente: Desde niño he recogido algodón en esta hacienda y siempre lo he llevado a la casa que está en la colina. Hay tres caminos para llevar el algodón y cada quien elige el que le parece más rápido o más adecuado.

Lo cierto es que cuando uno llega a lo alto, allí miran lo que recogió, lo pesan y le pagan. No les interesa saber cómo lo recogió ni por dónde lo llevó. Creo que Dios hace lo mismo: mira los frutos y le tiene sin cuidado saber a qué iglesia o senda espiritual pertenecemos.

Paz interior

*D*el poeta español Juan Ramón Jiménez, Nobel de literatura, te comparto estos versos con un mensaje bien profundo: "No corras, ve despacio, que adonde tienes que ir es a ti solo". Necesitas calma, mucha calma, en medio de tantos afanes. Calma para sosegar el espíritu y navegar con buen viento y buena mar.

Dentro de ti están la paz y la alegría, la luz y la esperanza. Dentro de ti están las soluciones que con tanta inquietud buscas afuera. Deja de correr, detente, acude a tu interior, serénate y recuerda que tu alma es la morada predilecta del Creador.

Santa Teresa de Jesús vio al alma como un hermoso castillo con muchas moradas, habitado por Su divina Majestad. San Agustín, quien anduvo de acá para allá por caminos tortuosos, también aprendió un día a aquietarse y a encontrarse consigo mismo y con Dios.

De él es esta confesión que conviene meditar: "Te buscaba, Señor, fuera de mí, pero tú estabas dentro mío, más íntimo que mi propio yo". Calma, serenidad y espiritualidad es lo que tu alma te pide. "No corras, ve despacio, que adonde tienes que ir es a ti solo".

En Dios

Dios es nuestra esperanza

*L*a esperanza es nuestra mejor aliada cuando todo se oscurece y nos sentimos sin fuerzas, sin ánimo y sin decisión. La esperanza se afianza cuando amamos de verdad, valoramos nuestros dones y recordamos nuestras conquistas. La esperanza también crece cuando nos dejamos motivar por la fe y la entrega de los amigos y de los grandes luchadores.

Pero hay un medio aún más poderoso para conservar viva la esperanza y es acercarse a Dios y caminar en Su presencia. Así lo sintieron los profetas, los apóstoles y todos los santos: no desfallecían porque sentían el poder del espíritu divino. Nada temas porque Yo estoy contigo, es una promesa que encontramos en diversas partes de la Biblia y que ojalá hagamos muy nuestra. Ver Jeremías 1,8.

Nada podemos temer y siempre encontramos fuerzas para proseguir si de verdad estamos con Dios. El es nuestra luz y nuestra fuerza. El es un refugio seguro, nuestro escudo y nuestro baluarte. El elimina nuestros temores y aclara nuestras dudas. Dios es nuestra esperanza.

¡Mi padre está en el timón!

un niño que jugaba tranquilamente en la cubierta de un barco mientras arreciaba el temporal, le preguntaron: "¿Tienes miedo, pequeño?". "No", respondió el niño con decisión, "estoy confiado porque mi padre está en el timón".

También yo avanzo seguro porque Dios lleva el rumbo de mi vida. Nada temo con tan buen timonel. Cuando persiste la tempestad no me domina el miedo porque el Señor es mi refugio y mi roca salvadora. Pongo mi existencia en las manos del Padre Dios y vivo en paz. El es siempre fiel, es mi esperanza y nunca me defrauda. La plegaria amorosa me hace sentir esa presencia divina que aleja todo temor. La fe me da seguridad.

Dios es mi Buen Pastor. Cuando estoy asediado por la adversidad, repito confiado:
"¡Nada temo porque Tú vas conmigo, Señor!".
Dios es baluarte inexpugnable para quienes lo aman de verdad. El es fuerza en la aflicción, es el amigo fiel. ¡El Amigo que nunca falla!

La verdadera riqueza

*U*na gran verdad encierra esta breve frase del pensador A. Graf: "Cuando más posee el hombre, menos se posee". Son muy pocos los que saben conservar la libertad en medio de las riquezas materiales. Casi siempre las personas más ricas son las más esclavas. Creen que poseen, pero son poseídas. Sacrifican por dinero su paz interior, su tranquilidad, sus relaciones y su misma vida.

Por eso es tan importante crecer en desapego y en generosidad. El desapego nos hace libres en el amor. Sabes vivir cuando sabes compartir y le dedicas al espíritu lo mejor de tu vida y de tu ser. ¡Pobres aquellos que son poseídos por lo que tienen!

"Haceos tesoros en el cielo, donde ni la polilla ni el orín corrompen, y donde los ladrones no minan ni hurtan. Porque donde está vuestro tesoro, allí estará también vuestro corazón. Ninguno puede servir a dos señores; porque o aborrecerá al uno y amará al otro, o estimará al uno y menospreciará al otro. No podéis servir a Dios y a las riquezas". Mateo 6: 20-21.

Entrega ilimitada

*P*on toda tu confianza en el Señor, pon tu vida en Sus manos y entrégate a Él con una fe ilimitada, más allá de toda duda. Que Dios sea tu refugio y tu escudo, tu castillo y tu baluarte; acude a Él con la confianza del niño que duerme en brazos de su madre.

Sea Dios tu fuerza y tu esperanza en los momentos de alegría y sea Él tu paz y tu luz también en los días de abatimiento. Medita a diario en Su palabra y encuentra en ella el alimento que necesitas y las respuestas que sólo Dios te puede ofrecer.

Sobre Su barca puedes navegar tranquilo porque Él lleva el timón y tiene poder para calmar la más violenta tempestad. Confía en Dios en medio de las pruebas. Confía en Él siempre porque Dios nunca abandona a sus hijos y los salva de los apuros.

No permitas que los temores o los vicios te alejen de Dios y anda siempre en Su preciosa compañía, de día o de noche. No te contentes con buscar a veces a Dios. No, vive con Él, camina con Él y cree en Él. Si Dios es tu amigo ¿qué persona o circunstancia podrán vencerte?

Vivir en oración

$\mathcal{H}$ ay paz en tu corazón si vives en oración. No dialogues con Dios sólo en la necesidad o en instantes fugaces. Haz de la plegaria amorosa una actitud de vida. Que el amigo Dios sea para ti ese sol que a todas horas te brinda luz y calor, no un cometa que pasa raudo por el cielo de tu alma.

Mientras más tiempo dedicas a la oración, menos te acosan los problemas y más disfrutas de sosiego espiritual. Un gran maestro, San Juan de la Cruz, sabía lo que decía: "Quien huye de la oración, huye de todo lo bueno". Orar es mucho más que pedir; es alabar, bendecir, dar gracias, amar al Creador y disponerse a hacer Su voluntad. Para orar cierra tus labios y tus ojos y abre tu corazón, a fin de sentir a Dios en el templo interior.

Hay una bella plegaria que dice: "Conozco, Oh Señor de Vida y Amor, la necesidad; conmueve nuevamente con amor mi corazón, para que también yo pueda amar y dar". Conmovernos ante el dolor de la humanidad es un primer paso. Pero el otro es responder a esa necesidad. San Agustín decía que la oración no es para que Dios haga cosas, sino para que las hagamos nosotros. Extraigamos de la oración la energía y la paz necesarias para movernos a hacer el bien.

Total disponibilidad a Dios

*S*eñor, me he puesto a pensar y reconozco que en mis oraciones casi siempre quiero que Tú hagas mi voluntad. Te invoco no para saber qué quieres de mí sino para decirte qué es lo que deseo y lo que necesito. Y Tu, oh Dios, me entiendes y me escuchas porque te adelantas a mis súplicas y conoces mis vacíos y mis temores.

Eres un Dios clemente y compasivo, un Dios de amor y de bondad que nunca abandona a sus hijos. Soy yo, Señor, quien me aparto de ti y sólo te busco cuando estoy asediado por los problemas. Hoy, Padre del cielo, me dirijo a ti con total disponibilidad porque sólo quiero conocer Tu voluntad y ponerla en práctica.

¿Qué quieres de mí, Señor? ¿Qué debo hacer, así sea en contra de mis impulsos egoístas y mis fuertes emociones? Quiero estar en silencio ante ti y recibir dos regalos: Tu Luz Divina para conocer tus designios, y el Poder de Tu Espíritu para realizarlos. Esa es mi oración, Señor, en total entrega y disponibilidad.

Maestra de oración

L a Madre Teresa de Calcuta tuvo como Maestra de oración a Santa Teresa de Jesús, la gran mística carmelita del siglo XVI. Algunas de las enseñanzas de Santa Teresa para orar son:

– Toda la pretensión de quien comienza oración ha de ser trabajar y determinarse y disponerse a conformar su voluntad con la de Dios. Santidad es unión de voluntades, hacer mi voluntad una con la de Dios: que yo quiera lo que Él quiere.

– Orar es vivir unidos a Dios como Amigos Fuertes de Él, dispuestos a hacer siempre Su santa voluntad. Esa "unión de voluntades" se prueba en las buenas obras y en el amor a los hermanos. Debemos ser buenos "no en los rincones sino en medio de las ocasiones". La mejor oración es la que deja mejores deseos confirmados con obras. Obras, obras, obras quiere el Señor.

– Todo el cimiento de la oración va fundado en la humildad. La humildad es el principal ejercicio de la oración. No hacen falta fuerzas corporales para orar, sino sólo amor y costumbre; que el Señor da siempre oportunidad si queremos.

– Orar es poner los ojos en el Señor y en uno mismo. Es estar en la compañía del Señor y tratarlo como amigo verdadero, como padre y como hermano.

Luz divina

*U*na excelente plegaria, es aquella que haces con amor para recibir la luz divina y actuar correctamente. En lugar de pedir cosas, implora la sabiduría del Espíritu para discernir el bien del mal. "En los asuntos de importancia eleva el corazón a Dios antes de decidir". San Juan Bosco.

No ores para que Dios cambie y haga lo que quieras; ora para cambiar tú y hacer lo que quiere Dios. Siempre harás lo más conveniente si oras para que el Ser Supremo guíe tus pensamientos, palabras y acciones. Santa Teresa de Jesús decía que el anhelo de todo el que ora debe ser "la unión de voluntades: Hacer mi voluntad una con la de Dios". Pon tu vida en las manos del Padre, y deja que Él sea el que muestre Su voluntad en los hechos y circunstancias de tu vida.

Repite a diario: "Guíame, Señor, con Tu sabiduría, ilumíname con Tu luz, fortaléceme con Tu poder. Aquí estoy, Señor, para hacer Tu voluntad".

La Gran Invocación

*E*sta plegaria tiene amplia aceptación mundial porque resume el llamado que la humanidad eleva hasta Dios. No pertenece a ningún grupo espiritual exclusivo ni a ninguna religión en particular, pero a través de esta plegaria, hombres y mujeres de buena voluntad de muchas creencias y naciones, se unen diariamente pidiendo valor y fortaleza para ayudar a una humanidad sedienta de Dios:

Desde el punto de Luz en la Mente de Dios,
Que afluya Luz a las mentes de los hombres;
Que la Luz descienda a la Tierra.
Desde el punto de Amor en el Corazón de Dios,
Que afluya Amor a los corazones de los hombres;
Que Cristo retorne a la Tierra.
Desde el Centro donde la Voluntad
de Dios es conocida,
Que el propósito guíe a las pequeñas
voluntades de los hombres,
El Propósito que los Maestros conocen y sirven.
Desde el centro que llamamos
la raza de los hombres,
Que se realice el Plan de Amor y de Luz
Y selle la puerta donde se halla el mal.
Que la Luz, el Amor y el Poder
restablezcan el Plan en la Tierra.

ORACIÓN

Oh Dios, mi baluarte

*S*eñor Dios, solo Tú das a mi alma la paz que las cosas jamás pueden ofrecer. Solo Tú eres descanso para el insatisfecho. Tú, Oh Dios, eres el baluarte, el refugio seguro. Contigo dentro se disipan los temores.

Tú, Señor, das reposo al espíritu y al mismo tiempo lo mueves a la acción y a las buenas obras. Oh Dios, mi luz y mi esperanza, mi fuerza y mi salvación. Fuente inagotable de perdón.

Gracias porque eres suma bondad y pura misericordia. Sólo sabes amar y eres el amor. Te siento cercano, oh Señor, en mis alegrías, y muy cercano también en mis tristezas.

Gracias porque nunca te cansas de mí, me buscas, me comprendes y guías mis pasos. Quiero, Señor, poner amor en todo lo que hago, cumpliendo así la misión que me has dado: Amar y Servir.

Dame, Señor, una firme confianza, un amor generoso y una esperanza invencible. Tú, Señor, eres mi amor y mi paz; eres todo para mí.

Dios, mi alcázar

*B*usco a Dios en la oración y su presencia aleja las sombras, disipa los temores y aumenta mi confianza. Las penas se hacen ligeras cuando su Espíritu me acompaña.

Me siento seguro porque Dios está conmigo; El es mi esperanza. Supero la adversidad unido al Padre celestial, y sintiendo que El es la Roca firme le digo: "Protégeme, Dios mío, que me refugio en ti; Tú eres mi bien. Los dioses y señores de la tierra no me satisfacen. El Señor es mi heredad y mi copa; mi suerte está en tu mano. Bendeciré al Señor que me aconseja, y hasta de noche me instruye internamente.

Tengo siempre presente al Señor, con El a mi derecha no vacilaré. Por eso se me alegra el corazón, se gozan mis entrañas y mi carne descansa serena. Porque no me entregarás a la muerte, ni dejarás a tu fiel conocer la corrupción. Me enseñarás el sendero de la vida, me saciarás de gozo en Tu presencia, de alegría perpetua a Tu derecha". Salmo 16. Dios es mi luz, mi fuerza y mi esperanza.

Plegaria

*S*eñor, dame el asombro del artista, devuélveme la admiración del niño. Dame el entusiasmo del joven y la sabiduría del anciano. Quiero, Señor, unos ojos nuevos para maravillarme con tu Creación. Dame un nuevo corazón para amarlo todo, una mano dispuesta para compartir y una mente abierta para dialogar.

En Ti creo, Señor, fortalece mi fe; en Ti espero, asegura mi esperanza; a Ti te amo, inflama mi amor. Te adoro como primer principio, te deseo como mi último fin, te alabo como bienhechor constante. Tú que eres el buen pastor, condúceme; Tú que eres el amigo que nunca falla, acompáñame.

Dirígeme, Señor, con tu sabiduría; ilumíname con tu luz, perdóname con tu clemencia, fortaléceme con tu poder. Gracias por ser el camino, la verdad y la vida.

Oración

El recopilador de los textos que aparecen en este libro es el escritor LUIS EDUARDO YEPES. Es autor de recopilaciones como: Desde el Corazón, Destellos de Luz, Tiempo del Alma, VIVIR un arte mayor, Todo me dice que te quiero, A imagen de tus sueños y Algunas verdades de Fernando González, publicadas por Editorial Hola Colina, de Medellín, Colombia.

En su reciente libro, MAS CERCA DEL ALMA, Luis Eduardo Yepes expone sus propias ideas y recomendaciones para acercarnos al fondo de nuestro ser, gracias a las amplias posibilidades que nos ofrece el nuevo milenio.

http://luisyepes.tripod.com

Corporación Cultural Oasis

 (2) 339 00 55

E-mail: oasismedios@starmedia.com

Cali - Colombia